D1213379

UNION GÉNÉRALE D'ÉDITIONS
8, rue Garancière - PARIS 6e

DU MÊME AUTEUR

Physiologie et biologie du système nerveux végétatif au service de la chirurgie. — G. Doin & Cie, 1950.

L'Anesthésie facilitée par les synergies médicamenteuses. — Masson & Cie, 1951.

Réaction organique à l'agression et choc. — Masson & Cie, 1952. 2e éd., 1954.

Résistance et soumission en physiologie. L'hibernation artificielle. Collection « Evolution des Sciences ». — Masson & Cie, 1954.

Pratique de l'hibernothérapie en chirurgie et en médecine. En collaboration avec P. Huguenard. — Masson & Cie, 1954.

Excitabilité neuro-musculaire et équilibre ionique. En collaboration avec G. Laborit. — Masson, 1955.

Le delirium tremens. En collaboration avec R. Coirault. — Masson & Cie, 1956.

Bases physio-biologiques et principes généraux de réanimation. — Masson & Cie, 1958.

Le destin de la vie et de l'Homme. Controverses par lettres sur des thèmes biologiques. — Masson & Cie, 1959.

Physiologie humaine, cellulaire et organique. — Masson & Cie, 1961.

Du Soleil à l'Homme. — Masson & Cie, 1963.

Les régulations métaboliques. Aspects théorique, expérimental, pharmacologique et thérapeutique. — Masson & Cie, 1965.

Biologie et structure. — Collection « Idées », Gallimard éd., 1968.

Neurophysiologie. Aspects métaboliques et pharmacologiques. — Masson, 1969.

Editeur de la revue « Agressologie », chez S.P.E.I. et Masson & Cie. Revue internationale de physio-biologie et de pharmacologie appliquées aux effets des agressions (depuis 1959).

L'Agressivité détournée. — 10/18

INTRODUCTION

Aujourd'hui comme hier, les idées n'ont pas la prétention de monopoliser la vérité. Nul esprit scientifique ou simplement conscient de la complexité des faits humains n'est assez naïf pour croire que celle-ci puisse être enfermée dans un langage. Et, pourtant, la dialectique de ce langage, celle du processus de la pensée qui se cherche, oblige à figer dans les mots des idées mouvantes, parcellaires, dont la principale qualité consiste à éveiller les contradictions.

Adepte d'une certaine discipline, celle des sciences de la vie, j'essaie d'appréhender les faits humains avec l'instrument dont je me sers tous les jours. Cette attitude me conduit parfois à voir ces faits humains sous une lumière qui peut déplaire à toute personne dont le système nerveux est déjà fortement structuré par son expérience antérieure de la vie. Ma vision est peut-être fausse mais les visions antérieures le sont peut-être aussi. Et puis, la vérité, ou prétendue telle, n'est jamais monolithique. Elle est fragile et changeante. Il faut lire cet essai en le comprenant comme une tentative de structuration autre, à partir d'informations souvent incomplètes mais différentes, motivées par un déterminisme unique, le mien, comme est unique le déterminisme génétique, sémantique, social et culturel de chaque lecteur qui voudra bien en prendre connaissance. Je sou-

haite que son système limbique[1]*, autrement conditionné que le mien, ne submerge pas son comportement de jugements de valeurs. Je suis prêt à renier chaque mot de cette étude si on me montre, autrement que par des postulats, les erreurs dont certainement elle est pleine. Heureuse époque qui permet d'exprimer l'Hérésie!*

Deux mots reviendront fréquemment dans ce livre, qui méritent qu'on les définisse. J'ai donné déjà dans Biologie et Structure *(Gallimard. Coll. Idées) la définition que j'avais choisie de celui de « structure ». On peut ou non être d'accord. Pour éviter l'équivoque, je précise que la structure est pour moi « l'ensemble des relations existant entre les éléments d'un ensemble ». Structurer consiste à tenter d'établir l'ensemble de ces relations. Comme l'ensemble des relations entre les éléments d'un ensemble est souvent hors de portée de notre connaissance, le mot « structure » désignera souvent des structures imparfaites, des sous-ensembles ou des parties de l'ensemble des relations.*

L'homme, ne prenant connaissance de la réalité qu'à travers ses sens, donc de façon subjective, ne peut connaître qu'une réalité, celle des relations existant entre les éléments de la réalité. Les relations constituent les lois des disciplines scientifiques.

Un autre terme est celui de « finalité ». Il ne fait appel à aucun finalisme dans le sens philosophique du mot. Son contenu sémantique est emprunté pour nous à la cybernétique. Un effecteur, c'est-à-dire tout mécanisme assurant la réali-

[1] Le système limbique est cette région du paléocéphale, de l'encéphale ancien où se fixent les faits mémorisés. Elle joue un rôle prédominant dans les réactions affectives, les motivations inconscientes, non contrôlées par l'activité associative du néo-cortex.

sation d'une « action », d'un « effet », est orienté vers un but car il a été programmé de façon à l'atteindre. (L'œil est fait pour voir.) L. Couffignal a défini la cybernétique comme « l'art de rendre efficace l'action », c'est-à-dire en d'autres termes comme « l'art qui permet à un effecteur d'assurer sa finalité ». Jacques Monod, pour éviter toute confusion, a proposé de remplacer le terme de finalité envisagé dans ce sens par celui de « téléonomie [1] ». Ayant dissipé ici l'équivoque possible, nous le conserverons.

[1] Ce terme fut introduit par Pittendrigh pour désigner les systèmes opérant sur les bases d'un programme, d'une information codée (C. S. Pittendrigh in *Behavior and Evolution* A. Roe and G. G. Simpson eds, Yale Univ. Press. New Haven. Conn. 1958. p. 394).

I

BIOLOGIE ET POLITIQUE

La politique étant une activité humaine, l'homme étant un être vivant, pourquoi un biologiste, qui par définition s'intéresse aux choses de la vie, n'aurait-il pas une vue particulière de la « chose politique »? L'homme étant de plus un être vivant qui pense, qui a conscience de son existence, pourquoi le biologiste, surtout s'il est orienté professionnellement vers l'étude des mécanismes cérébraux de la prise de conscience, ne pourrait-il pas être utile à l'action politique?

Si le biologiste veut inclure cette activité particulière de l'homme qu'est l'activité politique dans le cadre général de la vie, avant d'en donner une définition, il me semble qu'il doit d'abord rappeler que, comme tout phénomène vivant, cette activité s'inscrit dans le cadre quantitatif et qualitatif de la vie sur la terre.

— Aspect *quantitatif* car tout processus vivant procède de l'énergie photonique solaire, vaste ensemble énergétique, énergie rayonnante transformée par la photosynthèse en énergie chimique.

— Aspect *qualitatif* aussi, car l'homme ne peut se nourrir directement de photons solaires. L'énergie de ceux-ci doit être transformée, « mise en forme » plus complexe par la photosynthèse, ce qui nous conduit immédiatement à la notion de structure.* *Nous l'avons déjà définie comme l'ensemble des relations existant entre les éléments d'un ensemble.* Définition valable à tous les niveaux d'organisation, de la matière inerte à la matière vivante, et que nous trouvons là à l'échelon moléculaire. Pour être utilisable par la vie animale et humaine, l'énergie solaire doit être structurée en molécules complexes, il doit s'établir des relations définies entre atomes. En d'autres termes, l'énergie solaire doit être emprisonnée, stockée momentanément dans des structures moléculaires qui permettront ainsi son transport et son utilisation. L'homme n'est qu'un transformateur privilégié de l'énergie solaire et l'on peut dire que celui des régions sous-développées n'est parvenu dans cette transformation qu'à des étapes moins perfectionnées que celui des régions industrialisées.

La deuxième notion essentielle à préciser est celle de « mémoire ». Pas d'action possible sans stockage de l'expérience passée. La première *mémoire est génétique.* On peut dire que l'enfant qui naît aujourd'hui porte, résumée dans ses acides desoxyribonucléiques, toute l'expérience passée des espèces qui, depuis les premières formes

* La distinction entre le quantitatif et le qualificatif a souvent donné lieu à des définitions assez subjectives et romancées. Puisque tout est énergie, cette notion doit pouvoir s'exprimer physiquement. Nous proposons donc de considérer la « qualité » comme exprimant le niveau d'organisation de la structure que peut prendre l'énergie, ce qui lie la qualité à la quantité d'information que cette énergie véhicule. Elle nous conduira bientôt, dans l'étude des faits sociaux et économiques, à donner à la notion d'information, à côté de l'aspect purement thermodynamique sur lequel ils ont assez uniquement été envisagés jusqu'ici semble-t-il, une place capitale. La « qualité », vue sous l'aspect de la théorie de l'information, lie l'énergie au temps et à l'évolution historique.

vivantes jusqu'à nous, ont rempli l'histoire de la vie sur la terre. Il porte, résumés en ses molécules hautement organisées, tous les échecs et tous les succès des espèces successives ayant dû, pour survivre, adapter leur structure aux exigences d'un environnement changeant perpétuellement et qu'elles ont elles-mêmes bien souvent contribué à transformer.

On peut également distinguer, et en particulier chez l'homme, une mémoire sémantique. L'enfant qui naît aujourd'hui va bénéficier, parce qu'il naît en société, et grâce au langage, de la transmission orale ou écrite de toute l'expérience humaine ou du moins des faits essentiels à sa survie. Le langage contracte le temps et l'expérience humaine au-dessus des générations, depuis la découverte du feu jusqu'à celle de la libération de l'énergie de l'atome. Mais là, un fait très grave surgit, lié aux mots. L'expérience varie avec l'environnement qui la fait naître. Cet environnement est en perpétuelle mutation, alors que les mots changent peu. La situation s'aggrave avec la *mémoire personnelle* que chacun de nous bâtira grâce au langage. Un père et un fils qui parlent la même langue ne pourront plus se comprendre car l'expérience personnelle des mots qu'ils ont acquise ne sera pas située dans le même espace-temps. Le père aura tendance à agir selon des informations transmises par des mots qu'il aura remplis d'un contenu sémantique différent de celui du fils, car l'expérience de ces mots aura été acquise dans un environnement qui a déjà disparu.

Si les civilisations anciennes ont donné aux vieillards une part si importante dans la cité, c'est que, jusqu'à une époque récente, l'environnement changeait avec lenteur. L'expérience plus longue qu'ils en avaient était plus significative. L'accélération récente des techniques, l'accroissement de la diffusion des informations à travers le monde font que l'expérience d'hier et les mots qui permettent de la transmettre n'ont qu'un rapport lointain avec le contexte socio-économique d'aujourd'hui. Nous ne saurions trop insister sur le danger que représente la croyance inconsciente que le mot « est » l'objet qu'il veut représenter comme la certitude que cet objet est invariant, qu'il est appréhendé de la même manière par nos contemporains. Ces bases essentielles de sémantique générale devraient être, à mon sens, les premières à être développées, à être précisées, à être introduites très profondément dans la conscience non seulement des hommes politiques, mais de tous les hommes. Un progrès immense en résulterait, et un gain de temps; des erreurs de comportement seraient certainement évitées, l'agressivité serait réduite.

De ces deux notions essentielles, il découle que la mémoire ou les mémoires sont en fait de l'énergie solaire, mise « en forme » et stockée soit dans des structures moléculaires, soit dans des mots, ce qui revient au même.

J'en tire des conséquences que je crois considérables:

La première est que dès qu'une structure est apparue, elle exige une certaine énergie pour se maintenir. Les structures vivantes, individus, générations, espèces, ne se perpétuent que parce que coule en elles le flot perpétuel de l'énergie solaire. Cela est vrai à tous les niveaux d'organisation, même si les caractéristiques de l'environnement qui leur ont donné naissance disparaissent ou se transforment. Prenons un exemple simple: la morphine permet à l'homme blessé de mieux supporter sa douleur. Or, elle donne naissance dans l'organisme qui la reçoit à des molécules protéiques (des enzymes) qui auront pour action de la détruire, d'en faciliter le métabolisme (enzymes métabolisant les drogues). La blessure guérie, pour peu que l'injection de morphine ait été répétée suffisamment longtemps, ces structures enzymatiques nouvelles auxquelles elle aura donné naissance existeront en dehors de la finalité première (suppression de la douleur) et exigeront une énergie capable de les maintenir. Il semble que ce soit là un des principaux facteurs de l'accoutumance et de la dépendance à l'égard du toxique.

Or ceci n'est pas seulement valable pour la morphine comme pour toute molécule étrangère introduite dans l'organisme, mais concerne également les sociétés humaines. Une usine de bouchons, créée pour répondre au besoin temporaire de bouchons, est une structure qui aura son existence propre et qui exigera souvent son maintien même si la découverte des bouteilles en plastique fait qu'on n'ait plus besoin de bouchons. Elle emploiera un certain nombre d'ouvriers, aura conduit à l'invention et l'emploi de machines spécialisées. Elle exigera de s'accroître alors qu'elle devrait être supprimée puisque sa finalité première et les exigences de l'environnement qui lui ont donné naissance ont disparu. Or, entre la dépendance d'un organisme à l'égard de la morphine et l'usine de bouchons, l'analogie reste entière. Une expérience donnée d'un environnement particulier s'inscrit dans notre système nerveux en donnant naissance à des molécules protéiques nouvelles. L'habituation comme le réflexe conditionné s'établissent sur cette base moléculaire. Les mots facilitent encore sa « cristallisation ». Un réflexe conditionné, aussi complexe soit-il, résulte de l'engrammation, dans notre système nerveux, grâce à la création de structures moléculaires nouvelles, de l'expérience acquise des variations particulières survenues dans les caractéristiques physico-chimiques de l'environnement. *Les variations de l'environnement s'introduisent dans notre organisme, à la manière d'un corps étranger comme la morphine, quel que soit le type de variation énergétique qu'elles représentent, en donnant naissance à une structure moléculaire neuve qui va stocker l'expérience que nous en aurons acquise.* La conscience de ce déterminisme contraignant que constitue toute expérience, tout phénomène mémorisé, a besoin d'emplir notre champ de conscience si nous voulons rendre notre action humaine et efficace.

Cette conscience du déterminisme biologique nous paraît indispensable, car les choses se contentent d'être, elles ne sont ni vraies ni fausses, ni justes ni injustes, ni bonnes ni mauvaises, ni laides ni belles, en dehors des conditionnements du système nerveux humain qui les fait trouver telles. Les choses sont. Selon l'expérience que nous en avons, qui varie avec notre classe sociale, notre hérédité génétique, notre mémoire sémantique et personnelle, nous les classons hiérarchiquement dans une échelle de valeurs qui n'est que l'expression de nos déterminismes innombrables. Nos déterminismes sociaux sont dominants, *car les sociétés, comme toutes les structures vivantes, ont tendance à maintenir l'état dans lequel elles se trouvent, pour préserver leur existence, en soumettant l'individu à leurs préjugés, leurs préceptes, leurs lois, leurs « valeurs ».* Un tel sujet est alors dit équilibré avec son milieu, état idéal car il ne sera à l'origine d'aucune révolte. Il n'aura même plus à penser, car la société lui aura créé dès l'enfance une batterie de réflexes conditionnés par des jugements de valeurs, qui n'ont de valeur que pour le groupe social dans lequel il vit.

Un jugement de valeur nous apparaît ainsi comme un choix simplifié entre deux éléments isolés d'un ensemble suivant un code prédéterminé auquel il suffit de se conformer par voie réflexe. Il faut reconnaître que la presque totalité de nos actions résultent de jugements de valeur; beaucoup même s'en flattent, sans se rendre compte qu'ils s'identifient aux robots.

Un tel comportement, qui évite de faire appel aux constructions imaginatives de notre cerveau structurant, a été très utile à travers les âges de l'humanité; il a permis à l'homme et aux sociétés parcellaires qui l'abritaient de se défendre efficacement contre l'agressivité du milieu extérieur animé et inanimé. Attitude rentable au cours d'une évolution non accélérée, réflexe d'une précision, d'une rapidité d'exécution, que ne peut atteindre le geste qui doit perpétuellement être réinventé.

Malheureusement, cette motivation fondamentale des actions humaines, à savoir la protection des structures vivantes (individus, groupes sociaux, sociétés plus ou moins complexes) contre les agressions de l'environnement, à mesure même que la domination de l'homme sur son environnement s'affirmait et que l'agressivité du milieu diminuait, a perdu sa finalité première, comme les enzymes qui prennent naissance sous l'action de la morphine.

Le travail humain, pendant des siècles et sous toutes ses formes, avait pour mission de protéger l'homme. Pasteur et chasseur au début, en découvrant l'agriculture et l'élevage, il s'est libéré en partie des aléas géoclimatiques. Il a engrangé, ce qui l'a contraint à protéger ses réserves de la déprédation de ses contemporains, nomades et pillards. Le capital était né, avec l'apparition rapide des échanges. Mais cette structure nouvelle s'est mise à exister pour elle-même et *l'on imagine mal un capital qui ne serait pas constitué pour s'accroître.* Pour cela, il faut vendre, donc acheter; le travail humain s'est progressivement détaché de sa finalité première qui était la défense et la survie des structures vivantes par la création d'outils et de machines permettant d'agir plus efficacement sur le milieu. *Le travail humain, devenu objet de marché, s'est orienté vers la fabrication de biens consommables seuls pouvant être échangés et vendus avec accroissement d'un capital.*

La prise de possession du trésor commun à tous les hommes, l'univers, n'est plus restée la finalité première. Les biens de consommation permettent à l'homme d'aujourd'hui une protection à l'égard de l'environnement qu'on ne peut comparer à la précarité de la vie de nos ancêtres des cavernes. Ils ne sont ni bons ni mauvais en eux-mêmes, s'ils aident l'homme à mieux réaliser sa finalité qui est le fonctionnement de son cerveau structurant. L'homme du néolithique avait sans doute peu de temps à consacrer à la connaissance de l'univers tant il lui fallait en dépenser pour s'en protéger. Par contre, ils ne remplissent plus leur finalité s'ils sont considérés comme une fin, si, comme on l'entend dire tous les jours, la consommation doit équilibrer la production et si l'homme ne produit que pour consommer. *Connaître ou consommer est un des choix primordiaux qui s'offre à notre génération et à celles qui viendront.* Or, notons-le au passage, les réels progrès de la consommation ne sont en général que l'application pratique de la découverte de notions fondamentales concernant la structure de l'univers. Indirectement, le choix de la connaissance est payant, même dans le domaine de la consommation.

Le deuxième résultat de cette distorsion survenue dans la finalité du travail humain est l'évolution progressive de l'individu vers une technicité qui le sépare et l'isole de l'universel. Le travail en « miettes », ce n'est pas seulement l'ouvrier qui lui est soumis, mais aussi ce qu'il est convenu, à tort, d'appeler l'intellectuel, alors qu'il ne se sert de son cerveau que comme l'ouvrier de ses mains, pour des actes tellement spécialisés qu'il n'a plus accès aux structures. Il se croit pourtant, par les jugements de valeurs imposés par sa classe sociale et son milieu, d'une autre essence que l'ouvrier, alors qu'il est aussi éloigné que lui de la véritable culture. Cette technicité, ce travail en miettes, ces actes réflexes, ces questions de concours apprises par cœur étaient nécessaires à une société cherchant le profit et l'accroissement d'un capital, car un acte réflexe est plus productif qu'un acte véritablement humain quand la quantité est seule en cause et non la qualité croissante qui ne peut résulter que du jeu de l'imagination, créatrice d'ensembles nouveaux.

Or, un élément imprévu est apparu qui risque de tout remettre en cause. Cette technicité, cette recherche du profit, de la rentabilité, *a conduit à remplacer progressivement l'homme par les machines, ce qui montre au passage que le travail humain est bien, même sous sa forme dite intellectualisée et que remplissent avec succès les ordinateurs, un travail « machinal »*. Et l'on voit venir le temps où l'automation aura remplacé l'homme par les machines dans ce travail en « miettes » inhumain. Sera-t-il vrai alors que la civilisation des loisirs ne nous laissera plus, comme activité ludique, que le PMU, le moteur à explosion et les maisons de la culture qui sont celles d'une culture bourgeoise et périmée, dispensatrice de jugements de valeur qui tentent de faire survivre une société déjà morte, et qui puise son essence dans les feuilles roses du dictionnaire? Comment faire surgir un humanisme moderne de l'humanisme du bla-bla-bla? Dans les sociétés dites industrialisées, dans la béatitude digestive du plus grand nombre, douillettement protégé de son environnement, ignorant la faim qui tenaille le reste de l'humanité, et même certains groupes sociaux moins favorisés, comment demander au suffrage *dit* universel des nantis, des techniciens de tous poils, d'imaginer autre chose que de pérenniser cette médiocrité confortable?

Je ne vois guère de réponse à ce problème que dans la généralisation d'une *culture relativiste, rendue possible par le temps libre qu'accorderont à l'homme les machines.* Faudra-t-il encore que la société le permette. Nous voyons déjà poindre l'importance du choix politique.

En effet, jusqu'ici, nous l'avons dit, nous comprenons mieux pourquoi maintenant, *les sociétés quelles qu'elles soient, capitalistes ou socialistes, ont toujours cherché à conditionner l'individu pour maintenir les structures acquises.* Il y a à cela plusieurs raisons. La première, c'est qu'en fournissant un code et des règlements de manœuvres aux actions humaines, elles s'assuraient la robotisation des individus et la soumission aux préjugés favorables à leur stabilité. Aujourd'hui, dans un contexte socio-économique en évolution accélérée, ne serait-ce que du fait des moyens de diffusion et de planétisation des informations, elles doivent monopoliser ces moyens pour conditionner les individus, ne montrer des faits que les aspects et les interprétations favorables à leur survie. Elles y parviennent d'autant plus aisément que l'esprit critique des individus s'amenuise proportionnellement à l'accroissement de leur technicité. La technicité focalise les sources d'information, rétrécit les langages, les systèmes sémantiques d'échanges, rend l'individu de plus en plus incapable de se situer dans l'univers, et d'autant plus sensible aux jugements de valeur imposés par les groupes de pression, que ceux-ci soient l'Etat, le capital, les classes sociales, économiques. Bien plus, les systèmes apparemment opposés, capitalistes et socialistes, sont en compétition essentiellement technologique. C'est sur ce plan qu'ils doivent démontrer leur supériorité. L'un et l'autre doivent donc, avant tout, techniciser l'homme, en lui fournissant par ailleurs, de façon préfabriquée, une vision du monde qui doit le rendre heureux de sa condition. Ils ne peuvent se permettre de lui fournir les éléments scientifiques, c'est-à-dire débarrassés de tout jugement de valeur, éléments indispensables pour imaginer un monde nouveau, différent de celui dans lequel le hasard de sa naissance l'a placé. Socialistes ou capitalistes, les sociétés modernes dites « évoluées » ne peuvent se permettre de diffuser un enseignement relativiste. L'enseignement doit conduire à des « débouchés » pratiques permettant d'inclure l'individu technicisé dans une civilisation technique. Orientation pour le moins paradoxale, alors que par ailleurs l'automation diminue les besoins en techniciens. *Alors que par ailleurs ces sociétés auraient de plus en plus besoin de novateurs, de découvreurs, d'hommes de progrès.* Le progrès est toujours le résultat de la création de nouvelles structures à partir de celles déjà existantes. Elle se fait en bordure de disciplines et ne peut être le fait que d'individus capables de dépasser leur technique. Elle exige donc d'élargir ses sources d'informations au lieu de les focaliser. Elle exige une culture interdisciplinaire qui n'est que la première étape à franchir pour se libérer des jugements de valeur. Comment se dégager des sous-ensembles, où s'établit le choix conditionné du jugement de valeur, si l'on ignore les éléments des ensembles plus grands, qui pour chaque décision humaine devraient nous faire aboutir à l'ensemble humain? Non l'humain de cet humanisme qui ne connaît que lui-même, isolationniste, paternaliste, égoïste, statique et recroquevillé, d'une bourgeoisie occidentale s'accrochant désespérément à ses prérogatives et ses jugements de valeur, assise sur ses montagnes de boîtes de conserve...

Il y aurait beaucoup à dire sur *l'enseignement*, pièce maîtresse de l'édifice social à construire et sur sa méthodologie. Son choix résultera du type de société dont on imagine devoir aider à la réalisation. Imaginons où pourrait conduire une société qui, au lieu de chercher à conditionner aveuglément l'individu en le transformant en rouage bien rodé de la mécanique sociale, s'efforcerait simplement de lui faire prendre conscience depuis l'enfance de ses déterminismes. Une société qui, au lieu de parler de liberté pour mieux asservir, apprendrait à mieux connaître nos chaînes pour tenter de choisir les moins lourdes. Une société lucide dans la connaissance de ses déterminismes, non aveugle et ignorante de nos déterminismes dans la béatitude de la consommation.

Il est temps de conclure cet aspect des principaux facteurs qui peuvent conditionner pour un biologiste l'aspect du monde de demain.

L'homme est fier d'avoir pu dominer les espèces et l'agressivité à son égard du monde inanimé. Il a pu le faire grâce à un outil dont il n'est pas responsable de l'extraordinaire complexité: *son cerveau*. Dans celui-ci l'on trouve les structures archaïques qui existaient dans les formes animales moins favorisées. Elles sont l'instrument de son comportement réflexe, de la fuite et de la lutte qui l'ont protégé des dangers de son environnement, pas plus qu'elles ne l'ont fait pour la protection des espèces animales, les mammifères en particulier, qui peuplent encore la terre aujourd'hui. Ce qui caractérise biologiquement sa condition humaine, c'est l'existence d'un cortex exubérant, structure relativement récente et propre aux hommes. *Structure associative* lui permettant de réaliser des formes nouvelles à partir du stock mémorisé dans son paléocéphale de ses expériences personnelles et raciales. Structure responsable de l'imagination, de la découverte de solutions neuves à apporter aux problèmes variés posés par l'environnement. On ne demande pas à la grenouille contemporaine de se comporter autrement que ne le firent il y a quelques millions d'années les premiers batraciens en présence des variations inattendues de l'environnement. Mais on peut attendre de l'homme, par contre, qu'il *imagine* avant qu'elles ne surviennent, les surprises que cet environnement lui réserve. On peut attendre qu'il invente des solutions originales à des situations nouvelles. J'ai déjà pu écrire il y a quelques années que le rôle de l'homme était simple au fond: *il suffisait pour assurer pleinement sa fonction qu'il laisse parler son imagination*. Nous savons maintenant qu'il le peut s'il parvient à se dégager des jugements de valeur qui l'asservissent. *Quelle peut être alors la place de la politique dans l'activité humaine?* Je risque une analogie biologique à un niveau d'organisation moins complexe, celui d'un organisme. Certains comas qui se prolongent sont, à l'heure présente, fréquemment rencontrés, grâce aux progrès de la réanimation. Ces organismes ont une vie végétative, qui permet à la circulation, à conserver à la digestion, aux systèmes excréteurs, de continuer à fonctionner. Cependant, ces organismes n'ont plus de vie de relation. Ils ne sont plus capables de se déplacer dans le milieu, plus capables d'agir sur lui au mieux de leur survie et se trouvent entièrement livrés au pouvoir du thérapeute. Leur système nerveux central, dans sa fonction la plus élevée, à savoir l'intégration consciente des informations recueillies à la périphérie et la réalisation de la commande d'une action motrice sur le milieu, est inopérant. L'organisme social peut se trouver dans une situation analogue lorsque le pouvoir politique est mort. Il me semble que la politique dans un organisme social consiste, à la suite de l'intégration des informations, dans la commande de son économie, de son comportement à l'égard du milieu. C'est le système nerveux central de l'organisme social.

L'organisme peut, grâce à des ajustements réciproques, subsister, même en l'absence d'une activité de coordination efficace, comme au cours des comas prolongés. Mais l'intégration politique peut orienter toute l'activité énergétique résultant du travail des cellules, toute l'économie de l'organisme social que forme l'association des individus, en organes et systèmes que sont les groupes sociaux, vers une action finalisée en vue d'une transformation avantageuse de l'environnement. Pour cela, les informations les plus nombreuses, les plus variées, les moins dogmatiques lui sont nécessaires, de même que l'action d'un organisme dans et sur le milieu sera d'autant plus efficace que ses sources d'informations sensorielles auront été plus riches et plus diversifiées. Supprimez la vision ou l'audition; vous obtenez un infirme.

Puissions-nous n'être conduits ni par des aveugles ni par des paralytiques, mais par des hommes pleinement informés de l'environnement et des réponses de la vie à celui-ci!

Souhaitons que l'on fasse une place plus importante aux sciences de la vie, à la biologie générale, dans l'éducation des générations montantes. Souhaitons que les mathématiques modernes et la cybernétique les aident à structurer leurs pensées et leurs actes, leur évitent de souhaiter l'impossible comme par exemple la mutation brutale d'un type de société en un autre. Les mutations sont rarement profitables. L'évolution animale s'est faite par étapes étalées sur des millions d'années. A supposer même que, à l'origine des temps, l'on ait pu imaginer l'homme et désirer sa genèse, il n'a pas été possible de passer de l'amibe à l'homme moderne dans un seul saut génétique fulgurant. Le milieu environnant lui-même devrait d'abord être transformé. Il est probable que la transformation du milieu qui permettra le *passage d'une société dite de consommation à une société de connaissance,* ce sera l'avènement des machines. D'ici là nous devons tout faire pour que l'homme apprenne à se servir d'un organe dont il n'a su tirer que le minimum de ses possibilités: son cerveau. Peut-être la pharmacologie l'aidera-t-elle à y parvenir. Même dans ce cas, un progrès paraît difficile sans l'assainissement du marais où il s'enlise: celui des jugements de valeur.

II

Les découvreurs

L'individu envisagé comme « effecteur » biologique n'a qu'un but, celui d'assurer sa survie, comme le font toutes les formes vivantes. Pour cela, son action aura deux orientations dominantes:

— l'une sera de trouver dans l'environnement les substrats nécessaires à ses métabolismes: il cherchera sa nourriture;

— l'autre sera de se protéger des caractéristiques physico-chimiques de l'environnement incompatibles avec sa survie.

La reproduction permet la survie de l'espèce. Ne serait-ce pas elle essentiellement qui fait de l'individu un être social? Ainsi, dès l'origine, et par définition, l'individu et l'Humanité n'existent que l'un par l'autre et l'un pour l'autre.

La fixation au sol et la naissance de l'agriculture permirent le développement de l'artisanat. Il semble bien que, comme dans les sociétés animales, les plus forts, les plus rusés, les plus agressifs, les mieux doués physiquement et intellectuellement pour le combat ont dominé les groupes sociaux primitifs où le hasard de leur naissance les fit naître. Une aristocratie est née, comme la spécialisation technique du travail fit naître les classes sociales primitives. La crainte et le mystère d'une nature hostile, dont il était préférable de s'assurer la neutralité bienveillante, donnèrent la part belle aux prêtres, supposés capables de servir d'intermédiaires entre l'homme et la puissance incontrôlable de l'univers.

La révolution industrielle du XIXe siècle trouva en place les possesseurs héréditaires des sols et de l'argent dont l'accumulation avait été le résultat du commerce et de l'exploitation, grâce à la domination coloniale, des richesses de régions inexploitées par leurs habitants.

La finalité première, à savoir la survie de l'espèce, fut progressivement perdue de vue, à mesure que l'homme devenait de plus en plus maître de son environnement. L'ouvrier vendant sa force de travail au patron, possesseur du sol ou des moyens de production, se voyait imposer par lui son niveau de vie, dès lors qu'avec la disparition progressive de l'artisanat, le travail s'émiettait, la spécialisation grandissait et que l'individu était de moins en moins capable d'assurer seul son approvisionnement en substrat et sa protection à l'égard de l'environnement.

Mais il semble que de nouveaux facteurs soient alors intervenus. La classe dominante, animée par le profit, ne pouvait plus à elle seule assurer la consommation des biens produits, comme elle avait pu longtemps le faire grâce à l'esclavage sous toutes ses formes. La plus-value devenait fonction de la production de marchandises et celle-ci de leur consommation. Ainsi, la prédiction d'une paupérisation progressive de la classe ouvrière ne s'est que partiellement réalisée du fait que pour consommer plus, il fallut faire appel aussi à la classe productive. Il en est résulté pour celle-ci une amélioration de son niveau de vie. On adapta la production à la consommation. La société de consommation était née et tout le monde fut heureux de profiter ainsi de l'accroissement de la production.

Mais comment la production a-t-elle pu s'accroître? sans doute du fait de l'accroissement des populations, d'abord. En effet, ce n'est pas par l'accroissement du nombre des heures de travail, qui a diminué au contraire. L'accroissement des populations « productives » tend à montrer que l'environnement dans son ensemble a permis ce développement.

En d'autres termes, et quelles que soient les critiques que l'on en fasse, notre monde moderne est favorable au développement, à la multiplication de l'espèce humaine. On peut objecter que ce sont les pays où la famine règne encore qui ont le taux de natalité le plus élevé. Mais les hommes qui les animent ont un faible taux de productivité de biens consommables. La régulation négative se fait par la mortalité élevée due à la maladie, la misère. Au contraire, dans les pays industrialisés, la régulation positive se fait par l'amélioration des conditions de vie biologiques.

Mais, surtout, l'accroissement de la production est venu de l'évolution technique. Ce n'est pas la classe ouvrière qui en est responsable, non plus que la bourgeoisie, en tant que telle. Ce sont quelques hommes, nés de la bourgeoisie et qui ne peuvent en avoir cependant les motivations, essentiellement guidées par le profit. Ces hommes sont, ce que l'on peut appeler, *les découvreurs*. Nous ne dirons pas que ce sont des techniciens, qui payés par le patron avec lequel ils collaborent, ne découvrent généralement que des améliorations secondaires, importantes certes pour l'accroissement des produits consommables, mais insuffisantes pour faire évoluer profondément la technique et la science. Il ne s'agit pas non plus des innombrables techniciens attachés au contrôle, au maniement ou au perfectionnement des machines. Nous voulons parler des hommes, de plus en plus nombreux, dont la motivation est la recherche scientifique, quels qu'en soient d'ailleurs les déterminismes profonds, inconscients et innombrables. Ce qui est essentiel, c'est de reconnaître que ces hommes ne peuvent être essentiellement guidés par le profit, et l'on semble trop oublier aujourd'hui que l'évolution extraordinaire du monde contemporain est beaucoup moins liée en fait à sa structure socio-économique dominante, socialiste ou capitaliste, qu'à l'existence d'un nombre de plus en plus grand de découvreurs scientifiques fondamentaux. Ce n'est que secondairement que l'exploitation de la découverte par l'économie capitaliste aboutira à la production de biens de consommation et à l'accroissement du profit de la classe dominante. Mais la classe exploitée profitera du progrès également sans avoir rien fait pour cela non plus, cependant, on peut dire qu'un régime socialiste devrait, en principe, favoriser la découverte fondamentale, la seule qui compte, la seule évolutive, puisque ce régime, toujours en principe, ne cherche plus l'accroissement d'un capital, accroissement qui se trouve inéluctablement lié à la « vente » de produits consommables.

Malheureusement, tant que ce régime ne sera pas généralisé à la planète, la concurrence internationale obligera les pays socialistes ou tendant à le devenir à entrer en compétition technique et commerciale avec ceux qui ne le sont pas encore. La consommation restera donc encore longtemps la motivation principale de la recherche et orientera donc celle-ci obligatoirement vers la recherche appliquée, seul objet d'échange et de commerce.

Et puis, surtout, les pays socialistes, tels que nous les connaissons aujourd'hui, avec leur classe bureaucratique dominante, supportent difficilement certains types de découvreurs, pas plus que l'Eglise n'a pu admettre Galilée et Darwin. Or, les découvreurs ne peuvent créer qu'en dehors des dogmes — et l'on ne répétera jamais assez que le climat indispensable à la découverte et au progrès des connaissances humaines exige l'indépendance de pensée et d'expression.

Autrefois l'individu par son action sur l'environnement assurait sa survie, par l'obtention de sa nourriture, et sa protection à l'égard d'un environnement hostile. Son travail qu'il vend au capitaliste, s'il est prolétaire — c'est-à-dire, s'il ne possède pas les moyens de production — lui assure sa nourriture, dans un climat de contrainte et d'exploitation, mais les dangers de l'environnement ont en grande partie disparu, ni grâce à lui ni grâce aux capitalistes, mais grâce à certains hommes qui ont permis d'enrayer les épidémies et les endémies meurtrières, et grâce à d'autres qui, mettant en évidence les grandes lois de la nature physique, ont permis l'envol technique. Toutes les classes en ont profité.

Il me semble que c'est là un fait capital auquel la révolution russe ne semble pas avoir apporté grand-chose. Que l'exploitation de la découverte en pays capitalistes ait ensuite bénéficié *aussi* et surtout à la bourgeoisie est un fait, mais un fait secondaire, car bourgeoisie et prolétariat n'ont pas de relation de causalité évidente et directe avec la découverte. De plus, quand nous parlons d'environnement, à côté de l'environnement matériel, existe aussi un environnement humain. Ce dernier est apparu très tôt, dès la fixation au sol, dès la constitution des premières tribus, des premiers clans. A l'intérieur de ceux-ci, l'individu a été conduit, pour assurer sa survie, à combattre et dominer d'autres individus. A l'heure actuelle, nous retrouvons le prolongement de ce type de lutte à un échelon d'organisation beaucoup plus vaste, celui des nations par exemple, dans les luttes de classes. Ce type de lutte est le même, à peu de chose près, dans toutes les nations du monde, dans tous les groupes sociaux. Mais chacun de ceux-ci, quelles que soient ses querelles internes, a dû et doit encore se battre pour assurer sa survie par rapport à d'autres groupes sociaux.

Le premier type d'antagonisme aboutit aux guerres civiles, le second aux guerres internationales. De l'individu à l'humanité entière, chaque échelon d'organisation a ses problèmes internes et ses problèmes extérieurs vers l'environnement. Ces différents antagonismes et leurs conséquences guerrières ne peuvent disparaître que par l'adoption d'une finalité globale pour l'espèce humaine, d'une finalité pouvant être admise par tous les individus et tous les échelons d'organisations sociaux. Elle est fondamentalement différente de celles actuellement acceptées par des idéologies contraires. Il ne s'agit pas de chercher le triomphe du prolétariat, de la bourgeoisie, de la bureaucratie, de la libre entreprise ou de la planification, mais celui de l'homme découvreur de son univers.

On objectera que dans une société de classes, ces hommes ne peuvent apparaître, le développement culturel étant au pouvoir de la bourgeoisie, qui ne peut sécréter que des bourgeois. Or, la bourgeoisie a montré qu'elle était capable de sécréter des découvreurs; il paraît exact qu'elle ne le fait pas exprès, ceux-ci ont surgi à côté, en dehors d'elle. Ils sont inclassables, sinon par leur qualité de découvreurs. Leur appartenance bourgeoise n'est que celle d'un sous-groupe sans gros intérêt. La science n'est ni bourgeoise ni prélétarienne, mais il est certain que la bourgeoisie en a écarté le prolétariat.

Admettons que ce n'est ni la bourgeoisie ni le prolétariat qui ont fait évoluer le monde, admettons que ces distinctions socio-économiques ne sont que la conséquence d'un aspect particulier de la recherche de la survie individuelle et des groupes sociaux. Cherchons à savoir où en sont aujourd'hui ces facteurs essentiels de survie. Nous constatons que dans les pays ayant atteint un haut développement, l'approvisionnement énergétique de l'individu ne paraît plus être un problème essentiel. Aussi imparfait qu'il soit, le capitalisme est un système qui a réussi à protéger l'individu contre la famine, les maladies épidémiques et certaines endémies, le froid; il permet à beaucoup des déplacements rapides et certains loisirs.

Le problème reste entier par contre, quel que soit le régime socio-économique dans les pays sous-développés dont beaucoup ont d'ailleurs été longtemps et sont encore exploités par les premiers. Notons aussi que des résultats remarquables ont été acquis en peu de temps par les régimes socialistes. En bref, le problème essentiel ne paraît plus être, pour les pays industrialisés, la recherche de l'approvisionnement métabolique, ou la protection contre l'environnement hostile. Il paraît se limiter à la constitution interne de la société, à l'exploitation, d'ailleurs atténuée, moins criarde qu'il y a un siècle, d'un grand nombre d'hommes par quelques-uns. Mais cette exploitation est devenue si camouflée en pays capitalistes, que parmi les exploités, un très grand nombre n'est pas conscient de cette exploitation et se trouve heureux de son sort. Imaginons qu'une propagande différente leur fasse prendre conscience de cette exploitation, et que la refusant, un régime socialiste remplace

le régime capitaliste actuel de ces pays développés.
Et puis? il est probable que cette majorité d'individus rendus conscients de ce problème et l'ayant résolu ne sera, par cela même, ni plus heureuse ni moins heureuse. Son idéologie dominante reste la même: l'amélioration de son niveau de vie. Les pays de l'Est en sont un exemple. Cette motivation sera réalisée dans un cadre conceptuel différent, mais on ne fera pas d'un manœuvre, par la grâce du marxisme, un découvreur, même s'il atteint le stade de l'ouvrier spécialisé en suivant des cours du soir, qu'il n'aura aucun goût spontané à suivre sans doute. Le cinéma, la télévision, le PMU et le camping sont pour lui — on le comprend aisément — beaucoup plus attirants.

L'évolution n'est pas due aux masses, elle n'est pas due non plus aux bourgeois, mais à un type d'homme particulier, en dehors des normes, sans quoi il n'aurait rien pu apporter d'original. Prenant le problème à l'envers, on peut dire que la bourgeoisie ou le prolétariat ont pu donner naissance à ce type d'homme, dont le rôle évolutif peut être considéré comme un fait biologique dont il faut rechercher les facteurs en dehors des idéologies; si nous désirons voir cette évolution se poursuivre et s'accélérer, il semble logique de préciser ces facteurs et leur ambiance socio-économique, de façon à les provoquer ou à les favoriser.

Quel que soit le régime socio-économique qu'il a choisi, l'évolution d'un groupe humain aujourd'hui passe par son industrialisation, la création d'une industrie lourde, la primauté réservée à la recherche fondamentale et secondairement appliquée. Le régime socio-économique n'intervient qu'ensuite dans l'orientation donnée à l'exploitation de la découverte.

On peut dire que pour la réalisation de la première partie de ces objectifs, l'industrialisation et la création d'une industrie lourde, le socialisme actuel a comblé, en un temps relativement court, le fossé existant entre certains pays de l'Est européen et ceux de l'Occident. Il a pu le faire grâce à la naissance d'une classe sociale que la théorie avait à peine envisagée, la classe bureaucratique qui seule a décidé de l'orientation à attribuer à la plus-value créée par le travail de l'ouvrier. Cette classe a remplacé, dans ces pays, l'oppression des monopoles et de la bourgeoisie par son oppression personnelle, favorable momentanément au développement général de ces pays. L'instruction s'est répandue, instruction technique avant tout. Le niveau de vie de la masse, extraordinairement bas au départ, sans rejoindre encore celui des pays capitalistes, s'est élevé suffisamment pour faire croire longtemps à cette masse que le régime avait atteint une sorte de perfection. Mais les bases industrielles étant mises en place, le confinement idéologique nécessaire à l'endoctrinement du prolétariat, nécessaire à lui faire accepter un niveau de vie encore médiocre, a stérilisé en partie l'imagination créatrice sans laquelle une société ne peut se développer. La crainte des sanctions policières a fait disparaître ce caractère essentiellement humain de l'amour du risque intellectuel, qui s'élève contre les préjugés, les lieux communs, les dogmes. La bureaucratie et son attirail policier et militaire ont appauvri l'imagination créatrice, caractère propre à l'homme, que la société capitaliste, malgré son exploitation éhontée du travail humain, laisse encore s'exprimer le plus souvent. La bureaucratie a, dans beaucoup de domaines, châtré les découvreurs. L'espèce humaine a besoin de « Galilée ». Non seulement, elle en a besoin, mais elle doit en favoriser l'éclosion. Il est à craindre que toute idéologie répressive, toute contrainte à l'expression d'idées non conformes à celles d'une classe dominante ne stérilisent pour longtemps l'évolution de l'espèce. L'avantage du capitalisme est qu'au fond, entièrement orienté par le profit, uniquement occupé par ses marchandises, ayant asservi le travail du plus grand nombre à la réalisation de sa propre accumulation de richesses non distribuées, il n'a cependant pas imposé d'idéologie aux découvreurs, par la force, mais par des moyens camouflés. Le vrai matérialisme, c'est le capitalisme qui l'a mis en œuvre. L'Idée n'étant pas son affaire a pu éclore tant bien que mal, à l'époque contemporaine, sans prisons, sans procès, sans purges sanglantes. Ce sont au contraire les idéologies, de l'Inquisition au pseudo-socialisme contemporain, qui, voulant plier la matière à un sectarisme intellectualisé toujours temporaire, a privé l'humanité de sa forme la plus spécifique d'expression, la pensée.

Il est important de constater que les seuls domaines où la science a pu se développer sans contrainte en U.R.S.S. depuis la révolution sont ceux où l'idéologie a peu de place: la science atomique et spatiale, les sciences physiques en général. Mais pour tout le domaine de la vie, pour le domaine biologique en général (génétique, physiologie, neurophysiologie, médecine, psychologie, sociologie, biologie animale et végétale, urbanisme, etc.) qui débouche forcément sur des interrogations philosophiques, le dogmatisme a tout bloqué. Il a retardé en U.R.S.S. le développement de la génétique moderne (née de Mandel, moine bourgeois), de la cybernétique (née d'un mathématicien bourgeois), de la psychologie freudienne (née d'un psychologue bourgeois), de la neurophysiologie moderne dans tout ce qui était sous-cortical, donc non pavlovien, de la biologie végétale ne donnant pas une part exclusive au milieu et en conséquence a retardé le développement de l'agriculture et de la biologie et des sciences de l'homme. Puis quand il s'est tardivement aperçu de son erreur, ce fut pour tenter de démontrer que tout cela était déjà inscrit dans le matérialisme dialectique.

*
**

La masse..., le peuple..., expressions méprisantes dans la bouche des bourgeois. Expressions terriblement idéalisées dans la bouche du prolétaire qui leur reconnaît implicitement une science innée qu'il refuse aux dieux morts. Mais en vertu de quel principe biologique fondamental, le plus grand nombre serait-il préservé de l'erreur?

Si l'on se voit extérieur à la masse, on est réellement un petit-« bourgeois » et cet isolement ne répond à aucun critère défendable. Si l'on se voit en elle, on s'estime brimé, car la masse est toujours la partie de l'humanité opprimée par quelques-uns et l'ennemi public est l'oppresseur bourgeois.

Mais après ce que nous venons de dire, l'oppresseur ne serait-ce pas plutôt l'ignorance? Ne serait-ce pas l'ignorance de la relativité des faits, des jugements et des choses, l'ignorance du déterminisme? On répondra dans ce cas, que si la masse est maintenue dans l'ignorance, la faute en est justement aux bourgeois dont la survie en tant que tels dépend de l'obscurantisme du plus grand nombre.

Supprimons alors le bourgeois oppresseur, où la masse ira-t-elle puiser ses connaissances? L'expérience nous apprend qu'elle les puisera à la source vive du parti qui sait tout, de l'atome aux galaxies en passant par la vie, de ses origines aux lendemains qui chantent. Mais alors puisque la masse est ignorante, et si le parti « sait », fait-il lui-même partie de la masse dont il est censé être l'expression? Mais la masse peut-elle exprimer autre chose que son ignorance? Si le parti s'en distingue, ne retrouve-t-on pas alors une aristocratie, ou plutôt une bureaucratie dirigeante, et de ce fait exploitante, même si le profit ne se pèse pas toujours en biens matériels? Une nouvelle bourgeoisie est née et l'on recommence.

Comment sortir de ce feed-back infernal? Comment remplacer une régulation en constance qui aboutit au maintien des structures acquises, par une régulation évolutive? En créant un servomécanisme, c'est-à-dire en cherchant la commande à l'extérieur du système.

Pour cela, il est nécessaire de prendre conscience de ce que la source de la connaissance est en dehors des classes, en dehors des partis et que la connaissance, et non le travail, est le seul facteur de l'évolution humaine. Le travail, c'est-à-dire l'action, ne vient qu'après. Il faut d'abord penser avant d'agir.

Admettre que l'on puisse penser en dehors de tout ensemble paraît être le type même du jugement faux. Il n'est pas plus possible d'imaginer un individu isolé des ensembles humains que d'imaginer le néant. Cependant, nous devons noter que lorsque nous parlons des ensembles auxquels, dans le temps et l'espace, appartient l'individu, nous n'envisageons que les ensembles connus. L'homme préhistorique comme l'homme contemporain était soumis à des champs magnétiques, mais il ne le savait pas. L'homme contemporain commence à peine à soulever le voile d'un nombre infime de ses déterminismes et parle encore de liberté. *L'imagination créatrice ne crée probablement rien, elle se contente de découvrir des relations, dont l'homme n'avait point encore conscience.* Certes, la mise en évidence de ces relations sera d'autant plus facile et utile pour l'espèce que nous n'avons pas tous les jours à redécouvrir le feu. En cela, un individu est le produit d'une époque et d'un milieu et Einstein avait relativement peu de chances de naître au Biafra au XVe siècle. Mais des millions d'hommes furent les contemporains d'Einstein, ils sont nés, ont travaillé et sont morts comme lui, dans un environnement socio-économique identique, avec des déterminismes génétiques et culturels semblables. Et, cependant, ils n'ont pas créé comme lui un système unique par son amplitude et ses richesses d'application. Ils n'ont pratiquement rien ajouté à la connaissance par l'homme des règles du jeu complexe de l'univers auquel il participe.

Ainsi, on peut en effet penser que toute société, à quelque degré d'évolution auquel elle est parvenue, sécrétera ses Einstein sans pouvoir faire autrement. Il n'empêche qu'étudier ces sociétés en comptant le nombre de leurs individus, leur fonction productrice de marchandises ou de machines-outils, leur produit national brut, leurs chômeurs, leurs techniciens, leurs bureaucrates, leurs intellectuels comme on dit, leurs petits commerçants, leurs industries, leurs enseignants, ne prendre en considération chez elles que ce qui se réunit en groupes et que l'on peut classer avec une fiche anthropométrique, revient à ignorer le seul facteur capable d'améliorer leur sort, et non seulement de les faire évoluer, ce qui est relativement peu intéressant pour l'espèce, mais encore de faire évoluer l'ensemble des sociétés humaines, de faire évoluer l'Homme avec un grand H.

Bien entendu, de même que ce découvreur ne peut apparaître isolément, de même qu'il est sécrété par la société où il est né, où il a vécu ses premières années, où il a grandi jusqu'à l'époque de son activité productrice, de même il ne servirait à rien s'il n'existait que pour lui, si son travail n'était jamais connu des autres hommes. De même encore, il ne servirait à rien si les autres hommes, tous les autres hommes, par leur travail concret, ne transformaient en action sur l'environnement la connaissance abstraite nouvelle qu'il a mise en évidence. Mais, inversement, il faut reconnaître que l'action concrète sur l'environnement ne peut gagner en efficacité sans le développement de la connaissance abstraite. Il n'y a pas de jugement de valeur, mais seulement chronologique, à dire que celle-ci doit précéder celle-là, et le jugement de valeur réside à placer l'ensemble de sa mise sur une classe sociale, prolétariat ou bourgeoisie par exemple, en oubliant ces isolés, qui ne sont point encore syndiqués mais qui sont absolument indispensables à l'évolution humaine et non point seulement à celle d'une classe particulière.

Il est peut-être possible, d'ailleurs, d'exprimer ces idées sous une autre forme, plus facilement compréhensible. N'a-t-on pas abordé les faits socio-économiques, jusqu'ici, sous une forme trop *exclusivement thermodynamique* et insuffsamment *informationnelle*? En appuyant sur un bouton, en mobilisant en quelque sorte une quantité très faible d'énergie, il est possible aussi bien, soit d'allumer une ampoule dans une pièce obscure, soit de déclencher l'explosion d'une bombe atomique. La quantité d'énergie libérée à la suite de ces deux expériences sera extrêmement différente, et pourtant l'information transmise à leur origine sera énergétiquement fort semblable. A ne voir que l'énergie libérée dans les faits socio-économiques, on a tendance à ignorer l'information qui est à l'origine de cette libération. Les découvreurs peuvent être comparés à cette information qui, sous une forme énergétique dérisoire, est capable de déclencher des processus énergétiques considérables. N'étudier que ces derniers, c'est probablement se priver d'un élément essentiel à leur compréhension.

Enfin, l'isolement des découvreurs ne viendrait-il pas du fait que, beaucoup plus que l'expression d'une société particulière à une époque donnée de l'évolution humaine, *ils seraient en fait l'expression, à une époque donnée, de la connaissance accumulée par l'espèce humaine? Ils actualisent en quelque sorte l'évolution historique, car la découverte ne peut se faire qu'en comptabilisant l'expérience passée et en la dépassant.* Il y a toujours eu, semble-t-il, des classes opprimées et des classes opprimantes et il y a toujours eu des découvreurs qui n'exprimaient pas une idéologie de classe mais faisaient le bilan momentané des connaissances humaines du moment pour s'en servir comme d'un tremplin pour faire un saut dans l'inconnu et en rapporter des vues nouvelles sur l'organisation de notre univers.

Ainsi, ce qui distingue l'organisation sociale de celle de nos connaissances, c'est que l'homme a abordé l'étude scientifique de son environnement individuel et social avant d'aborder l'étude scientifique de lui-même. Suivant en cela l'évolution des sciences, il s'est intéressé d'abord à la thermodynamique avant d'aborder la théorie de l'information. Enfin, dans la notion de découvreurs, nous ne mettons aucun jugement de valeur, de mérite, que le déterminisme ne permet pas.

Une psychanalyse assez simple montrerait combien l'agressivité, le besoin de domination, la répression des désirs conditionnent chez beaucoup d'individus leur amour de l'égalité, de l'uniformité, la négation de ce qui pourrait être un moyen hors de leur atteinte d'être aimé ou admiré, de dominer. Combien il est plus confortable alors de se croire un génie étouffé par une société opprimante et mal conçue, et plus particulièrement d'affirmer que le génie n'existe pas ou qu'il est universellement distribué! On rejette sur un déterminisme social l'entière responsabilité d'une médiocrité congénitale, alors que ce déterminisme social, dont l'influence est cependant considérable, n'a pas empêché Kepler d'être issu de la copulation d'un ivrogne et d'une sorcière. De même, il est certain que les opinions que je viens d'exprimer sont de celles qui de tous temps ont été suscitées par l'idéalisme petit-bourgeois.

III

L'« essence » de l'Homme. La notion de « besoin »

Il faut toujours revenir aux questions fondamentales sous peine de s'égarer.

1°) Que fait l'homme sur la terre? Il vit ou, plus précisément, il survit. Il croît et se multiplie — au même titre que toutes les espèces vivantes qui, à travers les âges de la terre, sont arrivées jusqu'à nous.

2°) Pour y parvenir, dans un perpétuel échange d'énergie avec son milieu, et par une régulation en rétroaction sur ce dernier, il a dû s'adapter à lui et adapter celui-ci à ses besoins.

3°) Il y a été aidé par un phénomène biologique particulier qui est sa faculté d'imagination ou, en d'autres termes, de restructuration originale de ses expériences acquises, ou transmises, à travers les générations par le langage.

4°) On peut donc admettre que cette adaptation, facteur de sa survie, sera d'autant meilleure que son expérience est plus vaste.

On peut en conclure que son but essentiel est la « connaissance » indispensable à sa survie. Ce n'est qu'après que par son travail, il changera le milieu suivant une structure imaginée par lui et favorable à cette survie. Il n'est pas vrai que « le travail constitue l'essence de l'homme » [1]. Il n'est

[1] Karl Marx: « Le Capital », Editions sociales.

guère plus que la réaction au milieu, une réaction particulière, qui se rapproche de la lutte, plus que de la fuite adoptée par les espèces migratrices. Une lutte qui a commencé avec la fixation des premiers hommes, en certains lieux, lorsqu'ils eurent découvert que, plutôt que d'être chasseurs et pasteurs, ils pouvaient aussi bien cultiver la terre et engranger. On peut même dire que le travail fut à l'origine de la société capitaliste.

L'essence de l'homme paraît beaucoup plus être la connaissance — encore que je me méfie de ce « est » aristotélicien, principe d'identité peu relativiste. Le travail envisagé comme moyen d'action de l'homme sur son milieu ne peut venir qu'après. Si l'insertion de l'outil comme intermédiaire entre la main humaine et la nature fut une étape qui dure encore, celle de l'homo faber, certains signes nous permettent d'imaginer qu'il n'en sera pas toujours ainsi et que l'homme saura un jour remplacer même sa main. Que restera-t-il alors de son essence? Il restera la « connaissance » du monde qui l'entoure et qui, elle, ne se limitera jamais.

C'est en cela que Marie avait sans doute choisi la meilleure part, celle qui ne lui serait pas enlevée alors que Marthe n'était qu'une période de l'évolution, celles du capitalisme et du marxisme se succédant dans l'histoire.

Ainsi, « l'homme est bien un animal qui fabrique des outils », mais s'il n'avait pas accru scientifiquement sa connaissance du monde, il en serait encore à l'ère du silex taillé. Bien plus, ce n'est pas le fait de tailler le silex qui fut le fait humain, mais bien d'imaginer qu'en taillant le silex, l'efficacité du poing humain serait plus grande.

Pendant des siècles, le travail de la main et la connaissance ne dépassèrent pas un stade artisanal, et se trouvaient réunis dans un même individu — ou bien la connaissance n'avait pas d'incidences techniques bouleversantes. Ce n'est qu'avec l'apparition des industries modernes que la connaissance de plus en plus vaste et complexe se sépara du travail manuel et fut spécialisée par des individus différents.

L'outillage de plus en plus perfectionné fut un des éléments essentiels de l'accroissement des connaissances, puisqu'il permit à l'homme, qui ne pouvait connaître le monde qu'à travers ses sens nus dont les spectres de sensibilité sont extrêmement restreints, d'atteindre le monde cosmique et celui des particules élémentaires. Un fossé de plus en plus profond s'est creusé, entre ceux qui possèdent la connaissance technique, capables d'imaginer de nouveaux outils, et ceux qui furent chargés de la construction manuelle de ces outils, ou ceux chargés de les utiliser.

A mesure que l'outil se perfectionne, au moment où l'on commence même à imaginer le temps où des machines pourront elles-mêmes faire d'autres machines, on peut se demander ce que deviendra le travail humain. Il est certain qu'il se « céphalise ». Il coïncide avec la connaissance. Il n'est plus utopique d'imaginer un avenir où l'homme réalisera sa véritable finalité, qui n'est pas de faire des outils et de s'en servir. Les outils ne sont qu'un moyen d'agir sur le milieu. Ce travail, abandonné aux machines, la finalité de l'homme demeurera la connaissance. Tout son temps devenant libre pour accroître cette connaissance du monde, il est évident que l'amélioration des machines ne pourra aller aussi qu'en croissant, mais qu'elles ne seront plus un but, mais un moyen. N'est-ce pas l'ignorance de cette notion fondamentale qui se trouve à l'origine de la crise économique et sociologique des régimes prétendument socialistes de l'Europe de l'Est où la bureaucratie semble avoir confondu la création indispensable de l'industrie lourde avec la finalité de la société et de l'homme contemporain, alors qu'elle ne fut indispensable qu'à l'accession de pays sous-développés à l'étape nécessaire de l'industrialisation?

De toute façon, il est curieux de constater que cette évolution a été rendue possible par les classes dominantes, bourgeoisie et bureaucratie; le prolétariat à lui seul en eut été incapable. L'inverse est aussi vrai d'ailleurs. Mais on comprend pourquoi le prolétariat a toujours tenté de se rallier les prétendus intellectuels, que nous nommerons plutôt technocrates et pourquoi ceux-ci ont besoin du prolétariat.

Il n'y a finalement que les capitalistes ou leurs équivalents bureaucrates, les détenteurs des moyens de production ou ceux qui décident de l'utilisation de la plus-value née du travail des précédents dont l'existence puisse être remise en question, d'autant que leurs décisions deviennent incontrôlables.

Ainsi, on peut s'interroger pour savoir ce que sera la lutte de classe quand les classes actuelles auront disparu, si elles disparaissent jamais. Il faut espérer que tous les hommes deviendront des intellectuels, dans une société débordante de biens de consommation créés par les machines, sans quoi la prochaine lutte de classes ne serait-elle pas celle entre les intellectuels et ceux qui ne le seront pas? Lutte inégale soit par le nombre, avantage de la masse, soit par la puissance d'action sur le milieu et les possibilités d'évolution, avantage de la classe intellectualisée. Antagonisme interne d'une société à venir que préfigure déjà, à l'échelon supérieur d'organisation, l'antagonisme présent entre les nations riches et les peuples sous-développés.

Il faut préciser ce que nous entendons par intellectuels. Nous avons dit qu'il ne s'agissait pas pour nous des technocrates. On classe généralement parmi les intellectuels l'homme qui ne travaille pas de ses mains. Le travail « en miettes » fait que dans ce groupe le plus grand nombre ne se sert de son cerveau que de façon aussi parcellaire, aussi éloignée de toute culture véritable, que l'ouvrier de ses mains. Nous avons été contraints de séparer le technocrate de l'intellectuel, ce dernier ne pouvant prétendre à ce qualificatif que lorsqu'une culture assez large et assez diversifiée, un capital d'informations suffisamment nombreuses et variées lui permettent de faire fonctionner son imagination de façon originale, et créatrice. Le nombre en est ainsi considérablement restreint. L'expérience sociologique contemporaine nous montre que les technocrates ne font rien d'autre que de s'allier à la classe dominante bourgeoise ou bureaucrate qui les protège, les utilise et les exploite et qu'ils sont incapables de faire évoluer la science, d'agir sur l'environnement de façon fondamentale, incapables en résumé d'influencer le devenir de l'humanité. A supposer qu'ils en deviennent capables, on risque de les voir s'organiser en classe dominante, c'est-à-dire en structure organisée avec la conséquence que nous avons signalée, pour toutes structures organisées: la tendance au maintien statique de cette structure, l'enkystement défensif contre les agressions des autres classes, la protection stérile de ses privilèges acquis.

***

Quand nous écrivons que « l'essence de l'homme est la connaissance », nous répétons que le verbe « être » déforme toutes les relations et les rend rapidement ineptes. Le terme d'« essence » est scientifiquement et matériellement sans valeur. Celui d'« homme » comprend tout l'univers connu. Celui de « connaissance » n'exprime qu'un certain type de relations humanisées entre des réalités que nous n'appréhendons que par l'intermédiaire de nos sens, c'est-à-dire par l'intermédiaire de ces relations. Le discours inadapté est incapable de les exprimer. Le terme de « finalité » est plus adéquat car un effecteur, en agissant, réalise ce que nous appelons un but. Nous préférerions dire que l'effecteur-homme pour agir a besoin du but de la connaissance. Mais nous demeurons alors prisonniers des définitions données à « homme » et à « connaissance . L'homme en tant qu'individu ne peut se concevoir isolé de l'ensemble social et la connaissance individuelle n'est qu'un sous-ensemble des connaissances humaines, donc le résultat des rapports interhumains, du rapport entre l'individu et les hommes morts et vivants, de l'individu avec la somme des connaissances accumulées par l'espèce à une certaine époque. Cette connaissance ainsi limitée ne peut être une finalité, car elle nierait l'évolution. Cette connaissance n'est alors qu'un facteur de l'effecteur-homme et la « connaissance-finalité » devient la *connaissance de l'inconnu, du pas encore connu.* Il en résulte que le mécanisme qui dans l'effecteur permet cette finalité est le mélange original des informations autorisé par les systèmes associatifs: « L'essence » de l'homme (si l'on veut absolument pour se faire comprendre conserver ce terme infirme) résulte ainsi du fonctionnement de son imagination créatrice. Cela ne veut pas dire que l'effecteur considéré ne soit pas commandé également et en partie par d'autres facteurs tels que les rapports de production, la génétique, le langage, l'écologie, de même que par la façon particulière dont chaque individu biologique (son déterminisme biologique en quelque sorte) l'amène à réagir à son environnement. En réalité, l'homme individu existe en tant que mécanisme caractérisé d'une part par la mémoire, par la connaissance des faits et des relations connus qui le lient au temps, non pas seulement au sien propre, mais aussi par le langage à celui de l'espèce; d'autre part par le mélange et la restructuration originale des informations engrammées dans la mémoire, c'est-à-dire par son *imagination créatrice*. Ce mécanisme est commandé par des facteurs qui sont ceux dont nous avons énuméré quelques-uns et sa finalité est la connaissance de l'inconnu, en d'autres termes la découverte. C'est elle qui lui permettra d'agir de façon évolutive et non pas de maintenir de façon conservatrice.

Si l'« essence » de l'effecteur humain est le travail, il faut trouver une finalité à la production de ce travail humain. On comprend que, dans ce cas, cette finalité soit fonction des rapports sociaux et économiques, puisque ce travail aboutit à la production de marchandises. La production devient une finalité en soi. Elle est entendue comme la transformation de la matière en un produit du travail humain plus élaboré. Il reste à trouver une raison d'être à cette production autre que des mots tels que « le plein épanouissement de l'individu dans une société sans classe », « à chacun selon ses besoins ». Le terme de « besoin » est trompeur si l'on n'en cherche pas une définition biologique. La vie, de ses formes les plus simples aux plus complexes, a « besoin » de l'énergie solaire et le monde vivant jusqu'aux productions humaines les plus élaborées, jusqu'à la pensée humaine, n'est que de l'énergie solaire transformée. Il semble que l'on puisse définir la notion de besoin comme « *la quantité d'énergie et d'information nécessaire au maintien d'une structure* ». Il faut reconnaître que l'évolution a eu « besoin » d'autre chose pour apparaître. Il est probable que si l'on avait demandé à l'homme des cavernes ce dont il avait « besoin », il aurait répondu « d'un ours à chaque repas avec un peu de feu pour le faire cuire ». Les « besoins » des sociétés animales peuvent être facilement répertoriés, comme ceux des sociétés humaines, à partir du moment où l'on exclut l'imagination créatrice. Les « besoins » de l'homme se limitent à ce qu'il connaît, ce qui est nécessaire au maintien de sa structure physique et mentale. Il n'a nul besoin de ce qu'il ne connaît pas. Le rôle des sociétés pour le maintien de leur survie consiste à lui cacher ce qu'il pourrait connaître et ce dont il pourrait avoir « besoin ». Il se borne à stériliser son imagination créatrice qui pourrait remettre en question leur structure.

On comprend qu'une société qui admet que l'« essence » de l'homme, sa finalité, est le travail, donc la production, même libérée des rapports capitalistes, ne peut être évolutive. Limiter l'homme aux rapports sociaux, bien qu'il soit impensable sans eux, ne fournit pas une finalité à cet ensemble de relations. Cette finalié ne peut être, momentanément, que la connaissance de l'inconnu, ce qui nous ramène aux mécanismes biochimiques nécessaires, au niveau des cerveaux humains, à l'évolution de cette connaissance comme aux facteurs qui les dirigent à chaque niveau d'organisation de la molécule au comportement et aux sociétés humaines. Ces facteurs, les rapports de production n'en sont qu'un élément, même si on lui donne une importance particulière. Les rapports sociaux sont la conséquence de la nécessité de domination assurant la survie de toute forme vivante. Tant que nous n'aurons pas précisé le déterminisme biologique de cette nécessité, nous ne pourrons la contrôler, donc faire disparaître les rapports de production capitaliste.

Nous avons abordé indirectement cette quesion des « besoins » pour l'étude de laquelle notre ami le Dr P.R. Bize a créé une société de « Chreiologie ». Lorsque nous écrivions que le rôle des sociétés avait été de cacher aux individus ce qu'ils pourraient connaître et ce dont ils pourraient avoir « besoin », une précision s'impose. Les sociétés ne cachent aux individus que les connaissances pouvant remettre en cause leur propre structure. Ce sont en général des connaissances fondamentales, et en particulier celles touchant les sciences de la vie sous toutes ses formes. Par contre, elles s'empressent de faire connaître les résultats matériels de leur activité productrice. La publicité n'a pour but que de créer des besoins en faisant connaître un objet « désirable ». Ainsi, ce n'est plus la demande qui crée l'offre, mais l'offre qui, présentée de telle manière, est capable de commander la demande. La publicité favorise la connaissance de l'objet, qui devient désirable alors qu'ignoré auparavant; il devient par cela même objet de besoin. Les besoins ainsi créés sont ceux pouvant accroître le profit; le prix de l'objet n'est plus celui de son coût de production, mais celui du désir qu'il provoque chez celui qui cherche à le posséder.

Un économiste sourira de l'intrusion maladroite que va lui sembler faire dans son domaine l'ignorant que je suis. Aussi n'ai-je l'intention que de suivre un raisonnement logique, dont la banalité et l'insuffisance peuvent décevoir. Un raisonnement logique peut, à partir de prémisses fausses, déboucher sur une conclusion erronée. Il me paraît cependant faciliter la compréhension de la notion de besoin. Il n'a pas la prétention d'exposer, de valider, d'adopter ou de discuter des théories que des hommes hautement qualifiés ont longuement étudiées et illustrées de leur savoir.

Pour augmenter leur profit, les entreprises doivent vendre plus, mais pour cela elles doivent augmenter les salaires, qui leur seront donc à nouveau versés. Leurs bénéfices viennent du fait qu'elles vendent l'objet au-dessus de son prix de revient. Bloquer les salaires, c'est stabiliser la consommation, c'est réduire la vente et en conséquence la production, à moins que celle-ci trouve en dehors de la collectivité nationale des débouchés favorables. Cette ouverture vers l'exportation est indispensable car il est rare qu'un pays puisse vivre en autarcie et les marchandises qu'il importe doivent trouver leur équivalent exportable. Mais le problème demeure à un échelon d'organisation internationale. Imaginons que pour éviter l'inflation généralisée, les pays capitalistes s'accordent pour bloquer ensemble les salaires. Il en résulterait une récession généralisée dont l'économie capitaliste ne pourrait s'évader qu'en diminuant les prix de revient sans diminuer les salaires. Ceci n'est réalisable qu'en accroissant la mécanisation, l'automation, par une modernisation constante des techniques de production. Ceci exige qu'une part importante du profit soit utilisée à la recherche systématique de moyens plus efficaces de production. Ceci exige surtout que ce progrès constant se répercute sur le prix de vente en l'abaissant et non sur le seul profit en l'augmentant. C'est en cela que la suppression de la propriété privée des moyens de production peut être efficace en supprimant le profit capitaliste. Il semble que le problème fondamental pour éviter l'inflation soit de remplacer l'homme par des machines permettant de produire plus à moindre prix tout en conservant au salarié de hauts salaires qui, pour un travail moindre, lui permettront d'acheter plus.

L'augmentation de la marge bénéficiaire doit essentiellement provenir des progrès des techniques de fabrication. Elle exige qu'une partie importante de cette marge bénéficiaire soit réinvestie dans la recherche. Cela suppose que dans tout objet consommable une part de plus en plus grande soit réservée à l'information et de plus en plus petite à la thermodynamique physiologique humaine. *Un objet entièrement « mécanofacturé » exprime toute l'information fournie par l'homme en une seule fois aux machines qui l'ont fait. Un objet « manufacturé » exprime l'information qui a permis chaque fois à l'homme de le réaliser mais aussi l'énergie neuro-musculaire libérée par lui pour chaque objet à chaque étape de sa manufacture.* Ce que l'homme en effet fournit à la machine, c'est une information, un programme; le produit de son imagination créatrice. L'essence de l'homme devient de moins en moins son travail, de plus en plus la connaissance de l'inconnu et le progrès technique qui en résulte.

On voit aussi l'importance de la publicité dans la création des besoins et l'on peut s'étonner que l'on ait choisi le moment où l'on engage les Français à moins consommer afin de lutter contre l'inflation menaçante pour introduire la publicité de marque à l'ORTF.

Nous n'avons fait ce petit détour économique que pour insister sur la différence qui existe entre la connaissance fondamentale des structures et de leur dynamique, que la société doit obscurcir pour assurer sa survie, et la diffusion par la publicité des biens consommables. Les grandes découvertes seules capables de faire évoluer profondément les techniques sont l'œuvre non des techniciens le plus souvent, mais des découvreurs. Les techniciens s'en emparent par la suite. Je sais bien qu'on parle aussi des besoins culturels et qu'on s'en préoccupe. Il s'agit généralement de connaissances non scientifiques, celles du domaine de l'art sous toutes ses formes, de la philosophie qui devrait en principe apporter une « structure » à l'ensemble des connaissances humaines. Là encore, une société ne fournira que la culture qui la sécurise, celle qui a le moins de chance de la remettre en cause. Elle cherchera toujours, par la culture qu'elle choisit, à diffuser le moyen de créer chez l'individu la structure mentale favorable à sa survie. La culture! Voilà encore un mot qui a tant de sens qu'il est bien près de ne plus en avoir du tout.

IV

Engagement et individualisme

Ce que l'Homme dit « engagé » reproche à celui qui se refuse à l'être, c'est de ne pas déboucher sur la « praxis », autrement dit sur l'action politique. Il pense que c'est en formant groupe, en s'enrôlant sous une bannière et en manœuvrant au commandement qu'il fera évoluer le monde. La sémantique est d'ailleurs pleine d'ironie qui fait que ces antimilitaristes utilisent le même mot « d'engagement » pour qualifier leur soumission à un règlement de manœuvre et l'abandon de leur caractéristique spécifiquement humaine qui est d'imaginer *eux-mêmes* à chaque minute ce que doit être leur comportement.

Si vous n'êtes pas « engagé », vous appartenez obligatoirement dans leur classification simpliste à la classe des individualistes petits-bourgeois. On peut d'abord répondre que tout être vivant est individualiste ou aussi bien que l'individualisme est une idée creuse, sans fondement biologique. Tout être vivant cherche sa survie individuelle et quand il manque d'imagination, il la recherche dans la sécurité du groupe, surtout si celui-ci est fortement structuré: armée, fonction publique, partis politiques, syndicats. « S'engager », c'est se montrer individualiste, mais individualiste anxieux. Inversement, on peut aussi bien dire que l'individualiste n'existe pas. Un individu n'est que la synthèse momentanée des générations passées dans une expérience personnelle du monde. Robinson, sur son île, était encore intimement uni à l'humanité entière présente et passée. Ce qui paraît responsable de l'idée fausse « d'individu », c'est la multiplicité des déterminismes dont il constitue la résultante, et qui nous cache ses liens au monde, dans le temps et l'espace. L'individu dans ces conditions commence peut-être au moment où sort de son imagination une structure originale du monde qui n'a pas encore été conçue. Cette création n'est cependant que le résultat de tous ses déterminismes génétiques, sémantiques et personnels, de tout ce qui en fait un être « social ».

On peut penser que l'individu se dresse alors car la structuration qu'il propose se heurtera à l'ensemble des préjugés de l'époque, des croyances du moment, au bon sens si généralement répandu et l'on comprend que son « engagement » soit impossible sans abdication de son individualité. Nul ne peut dire, au moment où il l'exprime, si sa construction est plus « efficace », sinon plus évolutive, plus riche de possibilités que les constructions antérieures qui ont cours sur le marché social ou scientifique.

Ce sont pourtant ces individus, qui n'existent comme tels que par l'antagonisme qu'ils personnifient avec les idéologies dominantes, qui font peut-être progresser l'Humanité, contre son gré le plus souvent, à retardement toujours. Quel rôle est moins « individuel » que celui de faire évoluer l'ensemble des hommes? L'acte le plus collectif de l'individu n'est-il pas avant tout d'être lui-même la véritable expression de ses déterminismes? N'est-ce pas la seule façon d'ajouter quelque chose, si peu soit-il, au trésor humain surtout si ses déterminismes le poussent à s'opposer à ceux que cherche à lui imposer la structure sociale dans laquelle il vit?

Si l'individu n'a rien à proposer de mieux que les schémas existants, alors qu'il s'« engage » dans l'un ou l'autre camp, peu importe, car aucun progrès ne résultera pour l'humanité de cet engagement individuel. Il viendra grossir la cohorte de ceux qui marchent au pas, et comme l'a écrit Einstein, le bulbe et la moelle suffisent pour cela, le cerveau est inutile.

Le reproche de ne pas déboucher sur la « praxis » est ainsi discutable. Il n'y a pas que l'action de groupe, l'effet de masse, qui soient efficaces. On peut même dire, là encore, que l'histoire montre que ce sont les individus exceptionnels, parce qu'ayant enfanté une structure nouvelle, qui ont le mieux servi l'évolution humaine. Mais la critique à mon avis la plus valable de « l'engagement », c'est que l'évolution de l'homme se fait, comme l'a dit Marx avec et après d'autres d'ailleurs, par son action sur le milieu. Et si avec les marxistes, nous admettons que c'est par son travail, aujourd'hui encore, que l'homme agit sur ce milieu, il faut admettre qu'à notre époque, c'est d'abord en construisant des machines qu'il assurera le mieux son évolution; mieux que les discours, le simple déterminisme fait qu'il construit des machines pour remplacer sa main. Lorsque les machines seront suffisamment nombreuses et l'homme suffisamment désœuvré, les classes sociales en seront bouleversées. Combien nous paraîtra désuète la lutte des classes, base fondamentale du marxisme contemporain, et que l'on doit admettre sous peine d'excommunication, de bourgeoisisme, etc.

La lutte des classes n'est qu'un moyen, mais pas un but de l'évolution. Ce moyen n'est pas unique, il en est un parmi d'autres. Et les chercheurs par exemple qui trouveront le traitement efficace du cancer auront au moins autant d'influence sur l'équilibre économique et social et sur l'évolution de l'humanité que ceux qui auront ou non pris part à quelques manifestations de groupe sur la voie publique.

Si l'homme ne devait pas changer dans sa structure mentale, il n'y aurait pour l'humanité que deux évolutions possibles: une masse de plus en plus nombreuse, que le socialisme serait incapable d'éduquer, même en fournissant une culture qui tiendrait prisonniers par le nombre quelques « intellectuels », sorciers indispensables, comme les capitalistes d'aujourd'hui le font déjà à leur profit. Ou bien, l'inverse, la domination du monde d'un type huxleyen, par des intellectuels peu nombreux, tenant sous leur domination une foule heureuse parce qu'ignorante, conditionnée entièrement et bien nourrie.

L'engagement ne devient possible qu'en cas de crise aiguë, parce qu'à ce moment-là, l'individu retourne à ses comportements primitifs. Il ne s'agit plus d'être homme pensant, mais de lutter ou de fuir suivant le comportement animal le plus instinctif. Comme un combat, dans lequel l'enjeu est la vie même, non de l'individu mais du groupe où ses déterminismes l'ont placé, ne se mène pas seul, on comprend que l'engagement devienne une nécessité. Lorsque l'évolution s'oriente, non vers la synthèse ou le dépassement de deux ensembles antagonistes, mais vers la disparition, par la force brutale, de l'ensemble le plus néocéphalisé, plutôt que le retour vers un état où la fonction pensante est la moins appréciée, où il n'est exigé de l'homme pour sa survie que l'apprentissage de quelques réflexes conditionnés, l'engagement devient logique. Il ne m'apparaît que comme une régression, un choix non pour la pensée, mais pour la vie, contre la mort. Encore faut-il prendre ces trois termes dans leur application à l'espèce, non à l'individu. Qu'importe d'ailleurs, en période de crise, la survie de l'individu? Que l'on se souvienne de la condamnation de Lavoisier: « La République n'a pas besoin de savants. » C'était vrai. Cette interprétation permet de comprendre certains comportements incompréhensibles comme ceux par exemple des accusés des procès staliniens. Il s'agissait souvent d'internationalistes convaincus, venus trop tôt dans une révolution qui, pour s'être voulue internationale, en était demeurée au stade de la survie parfois difficile de sociétés ou de groupes nationaux. S'ils ont fait une autocritique reconnaissant leurs torts, sachant le plus souvent qu'ils n'échapperaient pas à la mort, c'est qu'on leur a présenté pendant des mois la situation internationale comme en état de crise. Il était préférable d'abandonner leur utopie d'un monde plus évolué et d'accepter, plutôt qu'une régression vers un état social primitif qu'ils avaient combattu toute leur vie, une régression partielle favorisant la sauvegarde d'un acquis, imparfait, mais qu'ils croyaient capable d'évolution. La « résistance », partout où elle a pris et prend encore naissance, réalise une unité à partir de motivations extrêmement diverses, d'idéologies contradictoires. L'homme seul vit dangereusement, mais, en période de crise, il ne peut même plus vivre. Peut-il choisir alors le côté de la force, ou de la technique, alors qu'il ne croit qu'à la pensée créatrice? Peut-il choisir le maintien coercitif d'une situation acquise et dominatrice alors qu'il croit au perpétuel changement des organisations humaines? Il choisira toujours le parti du plus faible, de l'opprimé. L'homme digne de ce nom sera toujours un Don Quichotte. Don Quichotte est pitoyable d'avoir combattu seul, en dehors d'une période de crise. Transposez-le dans un cadre révolutionnaire et vous en ferez un authentique héros devant l'image duquel les foules reconnaissantes viendront plus tard s'incliner. L'action propice à l'évolution ne vient pas des Don Quichottes mais des Cervantès. Le plus difficile est de savoir quand commence une crise, quand il est plus efficace de combattre en se mêlant à un sous-ensemble imparfait, plutôt que de penser seul sans agir.

V

L'idée et l'action — La notion de révolution

A l'heure présente, comme par le passé, ces hommes, sur lesquels semble reposer l'évolution de l'espèce, sont peu nombreux. Leur seule force, puisqu'ils ne bénéficient pas de celle de la masse, est l'Idée. Mais les idées ne peuvent s'imposer aux hommes par elles-mêmes. Cette seule force n'en est pas une dans l'immédiat. Du seul fait que l'homme des sociétés industrialisées est suffisamment pourvu en approvisionnement pour ses métabolismes élémentaires, suffisamment protégé de l'agressivité du milieu, adapté en quelque sorte, nulle raison apparente ne le pousse à rechercher une idéologie nouvelle. La technique le nourrit et le protège. Les idées ne se mangent pas et l'homme moderne est avant tout un consommateur. C'est dans la faim et la douleur, la crainte de la mort, l'envie ou la haine que fermentent les révolutions. Ces sentiments s'estompent dans la bouillabaisse d'un bien-être médiocre. L'idée y barbotte et s'y révèle sans utilité. Elle n'a pas de raison d'exister.

La révolte de nos jours naît dans les Universités. L'idée s'impose quand le milieu est suffisamment transformé pour l'admettre, quand elle peut exprimer l'environnement; l'idée n'a pas à faire de prosélytisme. Elle n'a pas à rechercher des adeptes. Elle les trouve quand l'environnement transformé par le déterminisme historique les lui fournit. Cela est vrai aussi bien en science, qu'en art, ou qu'en politique. Tous les grands découvreurs d'idées neuves ont été inconnus ou rejetés par leurs contemporains. Pasteur a eu de la chance d'être compris vers la fin de sa vie, chance qu'avant lui Semmelweiss n'a pas eue. Cantor est mort fou. Galilée prisonnier. Larmarck raillé. Berlioz incompris. La vedette ou le ministre n'expriment que l'idéologie du moment et ne font pas œuvre originale. Le novateur est toujours supplicé ou, pour le moins, ignoré parce qu'incompris.

Cela ne veut pas dire que l'Idée n'est pas la fonction spécifique de l'Homme. Toute notre activité doit être sa constante poursuite. Mais l'imposer au plus grand nombre, il n'y faut point compter. Il faut savoir attendre le moment choisi par le milieu. La seule possibilité de l'idée, après cette attente, c'est d'organiser efficacement le milieu quand le climat créé par la lente évolution de celui-ci s'y prête. L'Idée doit être prête à intervenir et il est souvent difficile de savoir si elle est valable pour aujourd'hui ou pour demain.

C'est aussi une des raisons pour lesquelles « l'engagement » est impossible à celui qui pense. L'action est pour aujourd'hui, l'idée pour demain. L'action a besoin d'un programme, donc d'une fixité, qui sera funeste à l'idée. L'action évolue par étapes, par sauts, par révolutions. La pensée doit être en perpétuel remaniement, en constante progression. Elle ne peut se permettre d'être retardée par l'actualisation de l'action. Sinon c'est une philosophie, en d'autres termes, une notice explicative des faits observés. Une philosophie n'imagine pas, n'expérimente pas, elle explique après coup.

La pensée politique paraît procéder des mêmes

critères. Elle ne peut espérer influencer les faits sociaux et économiques. Mais elle doit les précéder pour tenter de les organiser au mieux de la survie de l'espèce lorsque ces faits surviennent. Paul Claudel, en parlant de sa canne, disait: « elle me précède et elle me suit ». C'est ce que doit faire la pensée politique à l'égard du corps social.

Une révolution ne se fait pas avec des idées ou dans ce cas, celles-ci sont déjà vieillies, et l'accompagnent seulement. Ce qui fait une révolution, ce sont les facteurs socio-économiques. Elle dépend des facteurs géo-climatiques, écologiques, historiques, de l'organisation interne et des rapports externes du peuple qui la réalise. Encore faut-il s'entendre sur le terme de Révolution. Son équivalent biologique serait la mutation. On sait qu'elles sont rarement favorables. D'autre part, une mutation n'atteint pas à la fois tous les individus d'une même espèce. Il semble bien que la transformation spécifique soit la conséquence d'une lente évolution s'étalant sur des siècles et que nous ne la jugeons comme mutation d'une espèce que par le télescopage du temps que nous observons a posteriori. Ici encore, nous retrouvons la notion des découvreurs, isolés longtemps, jusqu'à ce que le milieu ait permis la généralisation de la transformation, mieux adaptée au milieu lui-même transformé. Les découvreurs sont ainsi les mutants. *Leur rôle sur la transformation de la masse n'est pas certain* et ils risquent fort de disparaître si leur mutation n'est pas conforme à l'évolution des conditions physico-chimiques de vie dans le milieu. Mais après coup, leur existence historique peut faire croire à leur rôle d'exemple, de symbole, à leur rôle créateur. *Il n'est pas sûr qu'ils soient autre chose que des témoins précoces, privilégiés, de la transformation du milieu, des êtres conscients perdus dans l'inconscience de leurs « semblables ».*

La notion de Révolution

Le terme de Révolution laisse entendre une notion de destruction d'un état antérieur, nous serions tentés de dire d'une régulation en constance. Autrement dit, la disparition d'un système régulé, donc d'un système qui n'est plus évolutif. Là encore, cette perturbation subite de la régulation peut venir soit de l'intérieur du système, soit de l'extérieur. De l'intérieur, il s'agirait alors d'un phénomène de pompage. Nous aurions tendance à l'exprimer sous une autre forme en parlant d'une absence de contradiction. On sait qu'un pont peut se rompre au passage d'une troupe au pas cadencé. Pour éviter cet accident, on préfère « rompre le pas » — plutôt que le pont. On laisse chaque homme suivre son rythme propre de marche. L'analogie me semble valable pour les phénomènes socio-économiques. Les crises pourraient être un phénomène de pompage, de résonance allant jusqu'à la rupture du système régulé. La révolution peut encore être comprise comme l'action sur le système régulé venant de l'extérieur du système, du fait que le système en agissant sur le milieu le transforme et qu'en conséquence, il n'est plus régulé par rapport au milieu transformé. Cette interprétation paraît plus conforme à l'observation des faits socio-économiques.

Il paraît évident que la bureaucratie, qui s'est établie à l'Est et qui tend à se maintenir, a transformé des pays arriérés en pays industrialisés.

L'environnement socio-économique actuellement transformé ne peut plus se contenter de la régulation bureaucratique et tend à la faire disparaître, à provoquer une révolution.

Mais là encore, on soupçonne le danger des mots dans lesquels chacun de nous met le contenu de sa propre expérience des faits. Dans l'exemple précédent, il est peu probable qu'une révolution fasse disparaître la totalité de la structure socio-économique existante, (ce que les capitalistes espèrent) et qu'elle réinstaure une structure capitaliste modernisée du type occidental, elle-même soumise au pompage. L'évolution biologique nous montre que la nature transforme en ajoutant, en changeant la finalité première d'un système par son introduction dans un nouveau système plus complexe.

Ainsi comprise, une Révolution réussie ne détruit pas, elle complexifie. Un organisme de mammifère, par exemple, possède encore en son sein un grand nombre de cellules dont le comportement biologique est celui des premières formes de vie sur la terre. Leur métabolisme est glycolytique, c'est-à-dire qu'il assure leur mise en réserve d'énergie sans faire appel aux oxydations, sans faire appel à l'oxygène moléculaire qui était absent de l'atmosphère terrestre à l'origine de la vie. L'évolution n'a point fait disparaître ces formes cellulaires phylogénétiquement très anciennes. Elle les a conservées. Mais elle leur a ajouté des formes plus récentes et plus spécialisées, dites oxydatives parce que sachant se servir de l'oxygène moléculaire en utilisant le produit de déchet des précédentes, l'acide lactique, comme substrat, comme aliment de leur machinerie plus complexe.

En réalité, la complexification change la finalité immédiate d'un système, en la transmettant à celle du nouveau système plus complexe. La finalité d'un organisme étant sa survie au sein de l'environnement physico-chimique, quand un organisme atteint un nouveau palier d'organisation plus complexe, la finalité statique du système ancien passe à l'organisation complexifiée alors que la finalité immédiate des formes anciennes persistantes se spécialise et ne fait plus que *contribuer* seulement à la survie de l'ensemble sans en assurer toute la charge.

Si nous reprenons l'exemple de la bureaucratie indispensable à l'évolution des peuples non industrialisés, elle a contribué d'abord à la survie de l'ensemble, puis, comme l'usine de bouchons lorsque le besoin de bouchons ne s'est plus fait sentir, sa finalité est devenue sa survie personnelle en tant que classe, c'est-à-dire en tant que structure vivante. Elle se comporte aujourd'hui comme les enzymes métabolisant les drogues. La morphine n'est plus utile lorsque la douleur a disparu, mais ils en entretiennent le besoin. Il est nécessaire d'en changer la finalité, en fournissant une nouvelle finalité à l'ensemble organique nouveau que représentent ces peuples maintenant industrialisés. Il n'est peut-être pas indispensable que cette bureaucratie disparaisse en tant que structure sociale, si la finalité de l'ensemble n'est plus *sa* finalité, mais si *sa* finalité concourt à la finalité nouvelle de l'ensemble.

Ainsi, les révolutions ne sont pas la conséquence des contradictions, mais plutôt de l'absence de contradictions. Une troupe au pas cadencé provoque la rupture du pont sur lequel elle passe. Les

« Révolutionnaires » ne font que reconstruire différemment ce qui fut détruit, mais non par eux. L'évolution au contraire résulte des contradictions et ces dernières sont donc à favoriser, si l'on croit à l'évolution de l'espèce humaine. L'évolution est une complexification. La finalité à travers les millénaires demeure identique: c'est la survie de l'espèce. Mais à travers les millénaires, les moyens utilisés pour assurer cette finalité changent, du fait que les ensembles sociaux deviennent de plus en plus grands et que la finalité partielle de chacun d'eux, finalité temporaire, se fonde dans des ensembles de complexité croissante. Chacune de ces finalités partielles ne devient plus qu'un des moyens d'assurer la finalité de l'ensemble.

La Révolution dans cette optique risque fort de n'être que le simple constat, la prise de conscience générale, d'une lente évolution survenue dans les relations entre les groupes sociaux et leur environnement, d'une accession à un niveau de complexité supérieur. Si les hommes voulaient s'en rendre compte et ne pas s'accrocher désespérément à leurs prérogatives personnelles ou de classes, beaucoup de sang et de douleurs seraient épargnés.

***

Trois idées générales semblent s'extérioriser de l'analyse (terme à la mode pour valoriser le logos) précédente, en ce qui concerne le comportement de celui que son déterminisme socio-culturel porte à penser:

1. Il doit fuir avant tout l'idée simpliste du statu quo. Rien ne demeure, tout change et il est funeste de s'accrocher désespérément à un concept qui ne

peut représenter qu'un moment révolu de l'histoire de l'homme.

2. Il doit fuir le désir d'appliquer un tel concept aux faits socio-économiques: l'application du dogme a toujours été funeste aux sociétés humaines. Elle en a toujours bloqué l'évolution.

3. Il doit fuir la tentation de mettre en pratique sur l'heure l'idée structurée par l'imagination. Il faut savoir prêcher dans le désert et tenir l'idée prête en réserve pour organiser le présent au moment où l'on sait que, déjà, elle se trouve dépassée par lui. Mais dans ce présent d'aujourd'hui, il faut avoir une idée déjà prête pour organiser le présent de demain.

Bilan assez pauvre en somme, tant que nos moyens d'investigation ne nous permettront pas une centralisation des informations innombrables concernant les facteurs physico-chimiques qui gouvernent l'évolution. La fonction de l'individu contemporain est analogue à celle du navigateur qui, armé des informations fragiles de la météo, sans pouvoir de contrôle, des facteurs qui commandent aux caractéristiques du temps, doit avoir mis en place à temps l'établissement des voiles favorables. Pour cela, il est utile que ses informations météorologiques soient aussi nombreuses et variées que possible. Il n'a pas intérêt à les recueillir à une seule source radiodiffusée. Il n'a pas intérêt à établir ses voiles pour le temps qu'il fera demain, mais pour celui qui pourrait le surprendre dans l'immédiat. Par contre, il se trouvera bien de faire la route qui le mènera le plus vite au but poursuivi et qui n'est pas toujours la plus courte. Il doit s'efforcer à choisir la plus sûre.

Si ce programme d'homme conscient, mais pas suffisamment savant, paraît décevant, on pourra se consoler en imaginant que la majorité des hommes sont conduits à agir et que la réflexion n'est peut-être pas la forme d'action la moins efficace. Elle est en tout cas par définition la plus humaine.

VI

Sur les sciences humaines.

J'ai conscience en parlant des découvreurs de réunir sous un même mot des contenus différents. Une espèce de découvreur, celle à laquelle, je crois, le terme convient le mieux, est le *découvreur scientifique*. Son rôle consiste à imaginer une structure nouvelle, c'est-à-dire un ordre encore inconnu de relations entre certains éléments connus de l'univers, à faire ce qu'il est convenu d'appeler une hypothèse de travail. Ensuite, il expérimente de telle façon qu'il puisse démontrer la réalité de la structure imaginée. Cette structure est d'autant plus riche de conséquences pratiques qu'elle est valable pour un plus grand nombre d'éléments et permet d'en trouver d'autres. Elle est plus générale, sans perdre de sa précision. J'ai jusqu'ici sous-entendu la possibilité d'existence d'un autre type de *découvreurs, économistes ou sociologues* en particulier. Or, que font-ils? Ils analysent les phénomènes socio-économiques passés et tentent de leur trouver une structure, un ensemble de relations point encore définies. Ils peuvent se tourner vers l'hypothèse, mais sans possibilité d'expérimentation, ou du moins d'expérimentations multiples se corrigeant les unes les autres, pour aboutir à la solution la plus cohérente. L'exemple en est donné par le marxisme. L'analyse qu'il a faite des faits sociaux et économiques du début de la société industrielle à la fin du

XIXe siècle est une découverte originale. Elle s'appuie sur l'observation et l'interprétation théorique du déterminisme historique. Par contre, lorsqu'il s'est tourné vers l'avenir, la seule expérimentation qu'il ait pu entreprendre dans les pays socialistes de l'Est européen a fait surgir des facteurs imprévus par la théorie, tels que la naissance de la bureaucratie. On nous dira qu'elle avait été prévue par Lénine et Trotsky; alors pourquoi ce facteur perturbant l'évolution du socialisme n'a-t-il pas été évité? Sans doute parce qu'il était inévitable dans l'état des connaissances du moment.

Aujourd'hui, les marxistes nous disent qu'on ne sait pas ce que sera le socialisme parce qu'il n'existe nulle part. C'est avouer se laisser guider par le déterminisme historique, le subir, ce qui n'est guère une attitude scientifique. Ayant subi l'expérience du capitalisme et celle du socialisme contemporains, devons-nous sans cesse recommencer des expériences infructueuses alors que les sciences dites «de l'Homme», sociologie et économie en particulier, n'ont point encore atteint aujourd'hui leur statut de sciences authentiques? Elles manquent de moyens scientifiques d'exploration et d'expérimentation. Elles se bornent à l'étude statistique de certains processus dont on laisse les facteurs s'organiser à leur gré, le plus souvent sans réel moyen d'intervention sur eux. On interprète après coup. Même si l'on dirige, ce n'est qu'à l'échelle des sous-ensembles, des détails. On réalise des ajustements réciproques. Comme le remarquait récemment Edgar Morin, les experts ont prédit en mai et juin 1968 que l'économie française serait complètement détraquée et ne pourrait jamais se restaurer, alors qu'au mois de juillet elle tournait à plein rendement. Les experts ont dit alors: « Tout va bien, il n'y aura pas de crise financière », et celle-ci a surgi deux mois plus tard... Il est vrai qu'il ne faut pas confondre une discipline et ses praticiens et que la médecine ne peut être jugée sur les erreurs de diagnostic des médecins.

La conséquence de l'inexistence de sciences économiques et sociologiques véritables est que la thérapeutique est encore symptomatique et non pathogénique. Le marxisme a mis en évidence l'existence de certains microbes, mais il n'a pu agir sur le terrain et il n'a pu expérimenter sur une longue échelle les effets secondaires des thérapeutiques théoriques qu'il a imaginées. Il est plus interprétatif que scientifiquement curateur. Il en est au stade de Pasteur, mais pas encore à celui de Fleming et Waksmann. Il faut se réjouir d'ailleurs de ne pas en être toujours à celui de Nostradamus. La découverte du bacille tuberculeux par Koch fut une étape fondamentale dans la connaissance de l'endémie tuberculeuse. Elle avait abouti avant la dernière guerre à la création de sanatoriums ainsi qu'à une chirurgie médiocrement efficace. Que reste-t-il de tout cela après la découverte de la streptomycine, du PAS et du Rimifon? Il faut donc faire une distinction entre le découvreur scientifique fondamental et le découvreur économiste ou sociologue. Le fait pour le premier d'avoir une méthodologie, un langage mathématique, des moyens d'observation puissants et précis, la possibilité de pouvoir isoler, mettre entre parenthèses, un processus pour l'étudier en ne faisant varier qu'un seul facteur ou quelques-uns seulement, la possibilité de pouvoir ensuite réintroduire ledit processus au sein de son environnement et d'observer comment il est influencé par lui et comment il l'influence, la possibilité enfin de recommencer cent fois en la modifiant son expérience, donne une réelle valeur aux résultats acquis. Le fait pour le second de n'agir qu'au vu de la seule interprétation de processus passés et imposés, dont les facteurs sont insuffisamment connus et observés, affectivement isolés et choisis par une motivation, un déterminisme social ou de classe qu'il cherche justement à éliminer, le rapproche plus de l'artiste que du savant. Il ne suffit pas de dire et de répéter qu'une discipline est scientifique pour qu'elle le soit effectivement. On peut s'en convaincre en constatant que tout progrès scientifique résulte d'un certain scepticisme à l'égard des connaissances les plus solidement éprouvées et combien le scepticisme est une attitude peu coutumière au politicien dit engagé. Le scepticisme à l'égard de l'acquis scientifique contemporain est un facteur essentiel de la découverte, alors qu'il ne peut être qu'un frein à l'action politico-sociale.

Cela ne veut pas dire que les sciences humaines n'atteindront pas un jour la précision de celles qui les ont précédées. Mais cela veut dire que l'on ne peut aujourd'hui admettre comme faits scientifiques ce qui n'est souvent que romantisme et phraséologie. On y retrouve le mythe du mot qu'on ne domine plus, que l'on manipule comme s'il était l'objet réel qu'il a mission de représenter et qui évolue sans nous prévenir de ses transformations.

Nous devons souhaiter que ces sciences humaines atteignent leur maturité, car l'homme moderne ne pourra plus longtemps s'en passer. On regrette que l'évolution technique ait profité à une vitesse beaucoup plus grande et souvent aux dépens de ce que la conscience bourgeoise appelle l'Humanisme. « Science sans conscience »... Accrochée à ses prérogatives, enfermée dans ses préjugés, inconsciente de ce que sa notion du profit est à l'origine de l'évolution technique et non scientifique, la classe bourgeoise regrette une idéologie qu'elle sent emportée au vent accéléré du progrès scientifique. Elle rêve à Phidias et à Platon alors que les communistes déifient Marx et Lénine en ignorant Trotsky. Mais aucun d'eux ne voit qu'il manque à l'humanité une « dimension » (comme on dit), une dimension scientifique, celle des sciences de l'Homme. En ce sens, c'est peut-être Freud, aussi peu scientifique qu'il puisse paraître, qui leur a fait faire leurs premiers pas. Il nous reste à poursuivre une longue marche dans de multiples directions.

*
**

Pourquoi ce retard des sciences humaines sur les sciences exactes? Je pense que cela résulte de la complexité des phénomènes humains. Il est clair que la science s'est établie d'abord sur la *connaissance du monde physique*. Pendant des siècles, on a fait appel à un vitalisme, à une force vitale, et l'on a considéré la vie comme une chose à part dans l'univers ne répondant pas aux lois du monde physique. Tout récemment, l'hérésie s'est effondrée, à mesure que la compréhension de la complexité en mouvement des faits biologiques les a fait pénétrer dans la réalité du monde physique. Il demeure encore une immense armée de défenseurs d'une « dimension » psychique à part, au sein même des phénomènes biologiques. Il faudra attendre pour mettre cette armée en demi-solde que la lente évolution des connaissances ait fait pénétrer, comme elle a déjà commencé à le faire, le monde du psychisme dans celui de la physicochimie avec un degré supplémentaire de complexification. Au stade où nous sommes parvenus, on comprend que le degré de complexification suivant, celui des faits socio-économiques, soit encore du domaine du roman. Un degré de complexité de plus multiplie d'une façon difficile à apprécier, mais sans doute considérable, le nombre des facteurs qui les commandent. L'usage de l'ordinateur pour les intégrer exige d'abord leur exploration pour les identifier, les dénombrer, connaître leurs relations réciproques et trouver pour eux un langage compréhensible pour la machine.

Tout passage à l'action ne peut être actuellement qu'empirique. Il s'écoulera sans doute encore pas mal de temps avant que l'on ait fait *la part des lois,* c'est-à-dire des *structures invariantes, et la part de nos désirs, camouflés sous le masque du logos raisonnant.* Les instruments d'exploration des faits socio-économiques ne semblent pas encore inventés. On veut aller dans la lune en utilisant l'algèbre alors que nous savons que sans ordinateurs pas de vaisseau spatial possible; c'est sans doute l'une des caractéristiques de ce qu'il est convenu d'appeler le « gauchisme » littéraire actuel, qu'amoureux de la lune comme tout poète et la voyant si belle, il pense l'atteindre en montgolfière. La science apprend combien les faits se plient difficilement à l'imagination lentement, comme à regret. La sociologie doit passer d'abord par son Moyen Age et son alchimie; elle attend son Lavoisier. Les faits empiriques devront d'abord s'accumuler avant que les structures qui les unissent en sortent. L'instrument de base de l'enquête sociologique est encore la parole, le discours et non la mesure, avec un appareillage sensible, de variations de formes énergétiques variées. Il en est de même de l'économie qui commence à peine à découvrir quelques facteurs de sa dynamique interne et à soupçonner les relations qui les unissent.

Et c'est en définitive ce qui paraît expliquer *l'affectivité qui règne encore au sein des sciences de l'Homme*. La vérité scientifique ne souffre guère plus de discussions passionnées à partir du moment où un nombre suffisant d'expériences l'ont confirmée. Le seul fait d'observer encore dans l'appréhension des faits socio-économiques tant de débordement affectif, allant jusqu'à la violence, la rage et la haine, laisse supposer que nous ne sommes pas encore sortis avec elles de la comédie humaine, des jeux du cirque, et que nous n'avons point encore atteint la froide et lucide ambiance du laboratoire.

VII

Etude critique des régimes socio-économiques contemporains

Une assez large diffusion a été faite aux doctrines marxistes pour que nous ne cherchions pas à répéter ce qui a été dit. Nous voudrions aborder un aspect important qui nous paraît siéger dans le fait que, ne pas posséder les moyens de production, prive le salarié des moyens d'orienter cette production. On ne peut imaginer que la plus-value qui naît du travail du salarié soit entièrement consommée par les bourgeois, ou bien dans ce cas, leur nombre serait si important par rapport au nombre des ouvriers que l'on ne pourrait espérer, en régime démocratique, changer l'ordre existant. La consommation personnelle du bourgeois parait négligeable par rapport à l'ensemble du revenu national; le calcul en a été fréquemment fait. La plus-value est réservée aux investissements, directement ou indirectement par l'intermédiaire de l'Etat, et ainsi au développement des industries. Cette plus-value est liée aux lois du marché. Elle n'existe que parce que le produit du travail ouvrier est vendu. Comme le capitaliste ne peut assurer à lui seul la consommation de ce produit, il en résulte que c'est le travailleur lui-même qui doit être l'acheteur du produit du travail de sa classe. Il est nécessaire, pour qu'il achète plus, que son salaire augmente, si bien que parallèlement son niveau de vie s'élève. Ce déterminisme paraît devoir satisfaire non pas tout le monde, car certains caractères secondaires comme la marge de chômage nécessaire au maintien au taux le plus bas du prix à attribuer à la force de travail, maintient une certaine masse de mécontents. Le crédit qui s'introduit dans la même optique accuse aussi l'aliénation du travailleur. Mais, dans l'ensemble, le système pourrait satisfaire à l'appétit de consommation du plus grand nombre. Or, il est important de constater que dans un tel système le *capitaliste est aussi aliéné que le salarié*. Détenteur des moyens de production, qu'en fait-il? D'autres moyens de production. Dans quel but? Celui d'accroître la consommation, non pas la sienne mais celle de tous. C'est en cela que réside la société de consommation. Dire que le prolétaire est exploité au profit du capitaliste nous paraît inexact. Le *prolétaire comme le capitaliste est exploité par un mythe,* ou plus exactement par un déterminisme dont ils sont inconscients l'un et l'autre, auquel l'un et l'autre se trouvent aliénés, le capitaliste au premier degré, le prolétaire au second degré. Le fait pour le prolétariat de devenir le détenteur des moyens de production ne lui donnera pas conscience de ce déterminisme. Dans les pays ayant fait leur révolution socialiste, pour orienter l'utilisation de la plus-value, le prolétariat a été forcé de s'en remettre à un type d'individus, techniciens ou spécialistes dont on ne peut dire qu'ils aient consommé pour eux-mêmes une part importante de cette plus-value. Ils ont fixé une finalité à l'ensemble social, la production pour la production. Ce fut un bien indiscutable tant qu'il s'est agi de créer l'industrie lourde nécessaire à sortir ces pays de leur retard industriel. La même révolution fut réalisée à l'ouest de l'Europe à la fin du siècle dernier par la bourgeoisie. Celle-ci s'est alors trouvée contrainte, pour continuer son développement, de faire participer le prolétariat à la consommation. On peut prévoir que la bureaucratie des pays de l'Est européen sera obligée, dans les années à venir, de faire la même chose si elle veut les sortir de la crise économique dans laquelle ils sont plongés. Si la bureaucratie veut se maintenir au pouvoir, elle devra élever le niveau de vie du prolétariat. On peut se demander ce qui distinguera des pays où les moyens de production ne seront pas entre les mains d'une classe sociale certes, mais où la décision de l'orientation de l'emploi de la plus-value le restera, et les pays capitalistes. Bien plus, la décision de l'orientation de l'emploi de la plus-value paraîtra rester entre les mains de la bureaucratie. Celle-ci n'aura pas été libre de son utilisation puisqu'un déterminisme implacable l'aura contrainte à l'orienter vers la consommation du plus grand nombre, au même titre que la bourgeoisie s'est vue contrainte d'améliorer le niveau de vie des ouvriers.

En réalité, *l'amélioration du niveau de vie du prolétariat n'est qu'un des objectifs, et à vrai dire un objectif qui devrait être secondaire, du socialisme*. Il n'est même pas certain, que le régime capitaliste ne réalise pas mieux cet objectif. La classe bourgeoise ne peut survivre qu'en accroissant le profit qui constitue sa finalité première; pour cela elle doit vendre, ce qui aboutit indirectement à l'élévation du niveau de vie du prolétariat qui achète. Alors que la bureaucratie n'ayant pas même cet objectif du profit a dû, pour survivre, s'adresser à la coercition policière.

Un objectif plus essentiel du socialisme, c'est la *libération des hommes de la domination d'une classe*, mais la naissance de la bureaucratie montre qu'il ne suffit pas, pour ce faire, de supprimer la propriété privée des moyens de production.

La domination est un phénomène précis. Elle s'exprime par l'impossibilité, pour le prolétariat, d'assurer son propre destin. Toutes les décisions essentielles de la vie individuelle et collective sont entre les mains des autres, monopoles, groupes de pression économiques, mais aussi bien technocrates et bureaucrates à l'Est européen. Or, ces groupes de pression ne sont pas maîtres de leur destin. Ils se trouvent engagés dans le détermisme implacable du profit pour le profit, de la domination pour la domination, plus que de celui du profit pour eux-mêmes en tant qu'utilisateurs de biens consommables. Le régime parlementaire réalise enfin cette tromperie remarquable qu'il paraît autoriser l'expression de la volonté du plus grand nombre, alors que ce plus grand nombre, intoxiqué par l'information dirigée, ignorant les facteurs économiques et politiques fondamentaux, inconscient du déterminisme de ses jugements de valeur, ignorant et inconscient, du jeu dont il est l'objet, obéit. Il obéit au second degré, car il obéit au déterminisme de la classe dirigeante, elle-même dirigée par ses propres motivations de façon tout aussi inconsciente.

C'est pourquoi la notion de classes, malgré les réalités qu'elle contient, détourne l'attention du problème fondamental de la destinée humaine. Puisqu'on nous parle de l'« essence de l'homme », cette essence est-elle le travail, qui débouche sur la production de biens consommables, ou la connaissance, qui y débouche indirectement, après avoir passé par une finalité différente, c'est cela, le vrai problème. Si l'essence de l'homme est la connaissance, l'évolution est ouverte en grand, infiniment. Si l'essence de l'homme est le travail, l'évolution est prête pour les crises, les dominations économiques et les guerres, quelles que soient les idéologies dominantes.

Le profit consommable, finalité apparente du comportement du bourgeois, ne lui « profite » pas autant que les efforts qu'il fait pour l'obtenir le mériteraient. Nul n'est besoin, de ces industries gigantesques, de ces monopoles tentaculaires, pour satisfaire le besoin de consommation de quelques directeurs, de quelques managers ou PDG. Si la finalité de ces quelques hommes n'était que cela, on pourrait conseiller au prolétariat de leur offrir une vie identique à ne rien faire, il s'en tirerait au meilleur prix. La motivation inconsciente ne peut être limitée à l'appétit de consommation et l'erreur du prolétaire bien souvent, pour lequel cet appétit est d'autant plus légitime qu'il ne peut l'assouvir, est d'attribuer ses propres sentiments au bourgeois. On n'est jamais motivé que parce que l'on n'a pas. Ceci explique l'attitude de nombreux fils de bourgeois qui foncent tête baissée dans l'ouvriérisme parce qu'ils ont les mains trop blanches.

Quelle est la motivation réelle du bourgeois? Je ne serais pas éloigné de croire, comme me l'a fait souvent remarquer mon ami J. Baillet, que c'est *l'instinct de domination*. Baillet voit cela en psychanalyste, pour lui la motivation est le désir de dominer la femme et pour cela de se placer en position avantageuse par rapport aux autres hommes. Les plus forts, les mieux doués physiquement et intellectuellement, les plus rusés, ont dominé les clans primitifs, parce qu'ils étaient capables d'attirer l'admiration et l'amour de plus de femmes possibles, ceux-là auraient dominé les clans primitifs, comme cela se passe chez les grands anthropoïdes comme dans toutes les espèces animales. C'est l'histoire du Dr Faust toujours recommencée, l'histoire vieille comme le monde qui, à travers l'alchimie et la pierre philosophale, a toujours lié la puissance, la richesse, à la domination sexuelle. Actuellement, il ne s'agirait plus d'être Tarzan, mais PDG, ce qui est plus facile. Le reste ne serait plus que littérature, logos cartésien explicatif d'une pulsion qu'il ne peut expliquer parce qu'elle n'utilise pas le même langage: discours conscient cachant des motivations inconscientes, d'autant plus inconscientes que la société n'a fait que passer son temps depuis les origines à les refouler dans le domaine obscur des interdits. Et ce serait bien là la véritable contradiction: la nature profonde de la domination sexuelle avec ses variantes, ses innombrables « complexes » qui n'ont qu'une finalité, l'expression de notre désir sous ses formes multiples est indispensable au maintien de l'espèce. Elle répond à une finalité supérieure en complexité à celle de l'individu; sans elle l'espèce s'éteindrait, c'est sur elle que se fonde l'individualisme le plus forcené, la compétition la plus barbare. Baillet disait un soir que lorsque nous faisons l'amour nous obéissons à une immense loi, plus insondable que celle de la plus-value; c'est elle en réalité qui dirige le déterminisme historique. Voilà la véritable loi qui commande au comportement du prolétariat, de la technocratie, de la bureaucratie, de la bourgeoisie, des intellectuels vrais et pseudo, celle à laquelle obéissent aussi les découvreurs.

Si cette hypothèse est vraie, elle a l'avantage d'être le plus grand ensemble, d'englober toutes les autres. Si le capitaliste est guidé par le profit, même s'il en est conscient, il demeure inconscient du fait qu'en réalité ce qu'il désire c'est l'acquisition, par l'intermédiaire de la puissance sociale, de la puissance sexuelle qui ne l'a peut-être pas particulièrement favorisé ou du moins d'une plus grande facilité pour l'exprimer et pour la satisfaire.

On ne peut pas dire qu'une société d'émasculés précoces serait plus raisonnable, car outre qu'elle ne pourrait se prolonger au-delà d'une génération, elle ne serait plus motivée.

Une sociologie psychanalytique, sans tomber dans les excès dogmatiques et interprétatifs qui n'ont rien à envier aux marxistes intolérants, apporterait-elle un acquis à la connaissance des sociétés humaines, de leur comportement et de leur évolution? C'est une dimension, qu'on ne peut négliger. Il est nécessaire, pour la tester, d'oublier la psychanalyse du sofa, thérapeutique individualiste difficilement applicable aux groupes et aux sociétés humaines. Mais, *le désir étant compris comme une donnée fondamentale de l'espèce*, sans laquelle celle-ci ne peut survivre, devenus conscients de ce qu'il serait l'élément essentiel de la motivation de nos actes, peut-être éviterons-nous les erreurs où peuvent conduire des phraséologies stéréotypées. C'est une fenêtre à ne pas fermer prématurément, ouverte sur l'obscurité des comportements sociaux. Si ce que recherche l'individu, répondant obscurément à la loi de l'espèce, c'est l'expression de ses désirs inconscients, qui passe par l'obtention de la puissance sociale quelle que soit sa forme, on comprend l'incohérence socio-économique actuelle. L'homme se fixe une finalité consciente animée par le logos, dont il analyse statistiquement les résultats, alors qu'au même moment il est entraîné en profondeur par un courant qu'il ignore et qui le conduit où il ne voulait pas aller. Ce qui ne l'empêche pas, grâce à une analyse rétrospective, à forme pseudo-scientifique, d'expliquer par quel mécanisme il est allé si loin, alors que le courant l'entraîne en toute ignorance vers une terre inconnue, qu'il découvrira à ses dépens après y avoir échoué. L'une de ces terres est sortie un jour de la vague des révolutions: elle s'appelait bureaucratie.

*
**

Pour qui a lu W. Reich, nul doute que cet auteur a pris conscience d'un problème important qu'aucune société contemporaine n'a voulu encore aborder de front. Ce qui semble séparer Reich de la psychanalyse sociologique officielle, celle de Freud en particulier, est le point suivant: l'un et l'autre sont bien d'accord pour attribuer aux pulsions sexuelles inconscientes une part fondamentale dans l'évolution individuelle et sociale. Mais pour Freud, quand cet inconscient est révélé, il peut être sublimé ou refusé consciemment. En quelque sorte, il s'agit alors d'une soumission consciente à un jugement de valeur, qui n'a de « valeur » comme nous l'avons souvent développé[1] que pour la société qui l'a érigé en loi en vue du maintien figé de sa structure. W. Reich utilise une comparaison assez significative. Par exemple, écrit-il: « La répression de la satisfaction naturelle de la faim conduisit au vol, ce qui entraîna en retour la nécessité d'une condamnation du vol. »

Ce que propose W. Reich, bien que conscient des difficultés de sa réalisation, à partir des morales et donc des structures socio-économiques exis-

[1] H. Laborit: « Biologie et Structure », Gallimard, coll. « Idées ».

tantes, c'est une liberté sexuelle permettant l'épanouissement des pulsions biologiques naturelles aussi bien chez l'enfant que l'adolescent et l'adulte et dont il espère la disparition des refoulements et des psychoses. Elle permettrait, selon lui, la disparition des pulsions secondaires « associales » qui ne doivent leur existence qu'à la morale coercitive[1]. Il regrette que l'on confonde sans cesse les pulsions « naturelles » et les pulsions « secondaires » provenant de la répression des premières par les morales. Il montre comment la révolution russe, du fait que les pères du marxisxisme ont ignoré le problème sexuel, considérant le problème économique comme le plus urgent est passée à côté de la possibilité qui lui fut offerte, au cours des premières années qui suivirent cette révolution, de le résoudre. Il montre comment le socialisme russe est revenu rapidement sur le chapitre de la sexualité aux normes de la morale bourgeoise alors que le statut de la femme, sa libération économique permettaient de tenter pour la première fois une solution originale. Et nous rejoignons W. Reich quand il écrit: « La révolution dans la superstructure idéologique fait faillite parce que le support de cette révolution, la structure psychique des êtres humains, n'a pas changé. » Nous avons souvent exprimé une idée semblable.

En réalité, il paraît urgent de préciser, ce que n'ont fait ni Freud ni Reich, la hiérarchie, la place que doit occuper dans l'organisme social, cette motivation sexuelle. N'est-elle que processus parallèle? Doit-on ajouter à la phrase de Marx: « l'essence de l'homme est le travail », cette autre définition: « l'essence de l'homme est de se repro-

[1] W. Reich: « La révolution sexuelle », Plon, p. 63.

duire »? L'une et l'autre sont comprises, dans la sentence d'ensemble: « l'essence de l'homme, en tant qu'individu et en tant qu'espèce, est de survivre ». Le moyen qui nous paraît le plus efficace pour y parvenir est la « connaissance ». Dans quelle mesure W. Reich a-t-il raison de croire que le désir sexuel est une finalité essentielle de l'homme reléguant la finalité obscure de la conservation de l'espèce au second plan? N'est-ce pas prendre l'effet pour la cause? Le biblique « Tu enfanteras dans la douleur » est probablement le résultat d'une coercition sociale primitive du même type que celle qui a dirigé la coercition sexuelle qui se prolonge encore dans le monde contemporain. Son équivalent sexuel serait les névroses, les psychoses, l'insatisfaction, la délinquance, la domination sociale enfin, le phénomène biologique primordial pourrait être, dans les deux cas, non l'absence de douleur dans le premier, non le plaisir dans le second, mais la loi profonde de la vie qui cherche à se reproduire. Là encore, la connaissance serait la finalité des finalités, car le jour où nous aurons pu établir scientifiquement la hiérarchie de ces lois biologiques fondamentales, nous saurons les utiliser en vue de la survie et de l'évolution de l'espèce.

Ne serait-ce pas l'ignorance de ce phénomène biologique de la sexualité, base de l'instinct de domination individuelle, de groupe et de classe, qui serait à l'origine des révolutions manquées, de la naissance des bureaucraties, des technocraties, de tous les groupes de pression, de l'exploitation de l'homme par l'homme? Dans ce cas, avant d'organiser le socialisme dans une idéologie sans sexe, en supposant que l'homme et la femme soient brusquement, par la grâce du marxisme, transformés en anges asexués, ne serait-il pas plus urgent d'étudier comment on peut passer pacifiquement non d'un capitalisme du refoulement à un socialisme également du refoulement, mais du refoulement à l'organisation scientifique de l'asservissement des pulsions sexuelles?

Mais dans le cas même où une solution rationnelle serait apportée à ce problème, certaines questions restent à poser. Est-il sûr que la sublimation des interdits sexuels n'est pas à l'origine de la créativité, aussi bien que des névroses, des psychoses et des meurtres? La forte proportion de psychotiques parmi les artistes de génie porterait à penser le contraire. Il est vrai que les créateurs scientifiques paraissent avoir été mieux adaptés psychologiquement. Une autre question vient à l'esprit: « Est-ce que la créativité est motivée par la sexualité? » En d'autres termes, la survie des espèces animales est-elle liée uniquement à leur sexualité? Nous venons de voir que l'organisation socio-économique des sociétés humaines paraît s'inscrire dans une grande vague profonde de sexualité qui gouvernerait l'appétit de pouvoir et de domination individuelle et de classes Nous avons suffisamment insisté sur le rôle jamais précisé, et qui nous paraît essentiel, des découvreurs. Ceux-ci sont-ils aussi l'expression unique de leur sexualité?

La *curiosité, l'appétit de connaissance*, qui dominent l'évolution humaine, s'inscrivent-ils aussi dans un cadre sexuel, ou constituent-ils une finalité à part? S'agit-il en quelque sorte de deux pulsions distinctes, toutes deux aboutissant à la survie de l'espèce? La souris placée sur une planche à trous et qui explore d'abord ces trous, avant tout autre comportement, est-elle mue par un instinct sexuel, par la recherche d'un partenaire ou par une autre pulsion qu'on peut appeler curiosité, sans savoir quel est son mécanisme neuro-endocrinien, son déterminisme biologique profond? L'observation journalière du phénomène nous porte à penser que la seconde interprétation est exacte. Dans ce cas, il resterait à préciser les rapports existant entre ces deux motivations profondes. La soumission de la libido au système endocrinien rend la pulsion sexuelle plus déterminée, inscrite plus profondément dans l'évolution animale, plus fondamentale peut-être que la curiosité. On peut imaginer la vie sans curiosité, liée à une certaine autonomie motrice permettant l'exploration du milieu; on ne peut par contre l'imaginer en dehors de la propriété qu'elle possède de se reproduire, de se transmettre à travers les générations. Enfin, chez l'homme, le développement des lobes frontaux, des systèmes associatifs, du langage, de l'abstraction, de l'imagination montre que le niveau de complexité et d'organisation supérieur englobe vraisemblablement les niveaux précédents. Or ce niveau, nous l'avons dit bien souvent, ne peut ignorer les niveaux sous-jacents, et ce n'est qu'en fonction de leur organisation harmonieuse et non envahissante ou au contraire refoulée par les interdits sociaux et économiques, que le psychisme humain pourra fonctionner correctement pour l'individu et l'espèce.

*
**

Que l'histoire du chromosome *y* supplémentaire qui ferait les délinquants et les assassins se montre dans l'avenir exacte ou inexacte, peu importe. Ce qui compte, c'est qu'elle ait pu un instant ébranler nos jugements de valeur sur les bases individuelles de l'honorabilité. Encore que ce chromosome *y* pourrait n'être qu'une échappatoire pseudo-scientifique des sociétés contemporaines pour fuir leur responsabilité écrasante à l'égard des individus. L'individu n'est plus responsable, mais la société non plus. Tout est la faute du chromosome *y*. Mais tout n'est-il pas la faute de l'existence des chromosomes *x* chez la femme, et *x y* chez l'homme en définitive, la faute de l'existence d'une différentiation sexuelle? Mais qu'est-ce qu'une faute? Par rapport à quoi? Par rapport au code Napoléon? Le phénomène que l'on appelle révolution, et que nous préférerions nommer lente évolution, ne serait-il pas simplement la conséquence de l'antagonisme fondamental entre le déterminisme qui régit la survie de l'espèce et celui qui régit les groupes sociaux, de même qu'au degré de complexité sous-jacent, la délinquance et beaucoup de maladies mentales paraissent être la conséquence de l'antagonisme entre le déterminisme individuel qui s'identifie profondément et inconsciemment à celui de la survie de l'espèce et le déterminisme qui assure la survie des groupes sociaux?

La conclusion serait de faire disparaître les groupes sociaux, puisque ceux-ci semblent constituer le facteur commun de tous les antagonismes.

« Quand tous les gars du monde... » Utopie. Mais Utopie tu n'es qu'un mot, car ou l'humanité aura comme finalité essentielle de fuir l'ignorance et l'unidisciplinarité idéologique et technique, ou elle demeurera dans le chaos, la souffrance et le meurtre. L'ignorance et le conditionnement sont les vrais ennemis de l'homme, tant du prolétaire que du bourgeois. L'ignorance ne vient pas seulement de la difficulté que certains hommes rencontrent à s'instruire. *Elle vient aussi du fait que l'homme ne cherche le plus souvent à connaître que ce qui satisfait ses désirs.* Il cherche dans la connaissance la reconnaissance de ses pulsions primitives ou secondaires et interdites, une justification de ses jugements de valeur. Il ferme les yeux, atteint de photophobie quand la lumière de la vérité le frappe trop brusquement et éclaire les couches obscures de son inconscient. Il préfère l'alchimie à la chimie, le yoga à la physique moderne et la politique à la neuropsychobiologie.

Si Freud s'est trompé, si toute la personnalité humaine réside dans le langage logique et les rapports interhumains conscients, rapports de production compris, alors l'analyse concrète des faits socio-économiques doit amener à une solution des problèmes de classe. Mais si l'homme véhicule en lui le déterminisme biologique du phyllum et cela de façon *inconsciente*, puisque la caractéristique de l'inconscient est de ne pas être conscient, comment peut-il apporter une solution efficace à des problèmes dont il ignore une partie essentielle, l'inconscient? Il est facile, notons-le, de ridiculiser cet aspect biologique du déterminisme du comportement en raillant le complexe d'Œdipe et le détail des interprétations psychanalytiques qui ne paraissent souvent avoir pour limite que l'imagination du psychanalyste. Le fait essentiel que nous retiendrons est ceci: l'homme en tant que structure vivante est lié à des mécanismes biologiques indispensables à sa survie, qui coïncident avec sa survie. Ils lui permettent de maintenir sa structure complexe par rapport à l'environnement. Il ne peut pas être plus conscient du fonctionnement fondamental et réflexe de son système nerveux qu'il n'est conscient de respirer, qu'il n'est conscient du fonctionnement de son cœur, de ses reins, du sang qui coule dans ses vaisseaux, de la contraction des muscles qui assurent sa posture. Ces mécanismes sont plus fondamentaux, plus primitifs, que ceux qui sont venus s'ajouter à eux au cours de l'évolution. Ils font de l'homme un animal et si cet animal est de plus un être pensant, ces mécanismes ont une part importante à jouer dans le mécanisme de cette pensée. Enfin, les rapports interhumains, les rapports sociaux quels qu'ils soient, se réalisent sur leur base inconsciente et toujours présente. Fermer les yeux à ce problème capital, c'est en rester à l'ère de l'alchimie, c'est-à-dire à la recherche de relations à un niveau d'organisation de la matière à l'époque où l'on ignorait encore sa structure particulaire et énergétique. Sa reconnaissance, puis sa connaissance sont au contraire la première étape à parcourir pour aboutir à leur contrôle. D'ailleurs, si l'on veut bien admettre que le marxisme a fait naître une conscience de classe, n'est-ce pas en rendant conscient une aliénation inconsciente et qui le reste encore pour beaucoup? N'est-ce pas en d'autres termes en rendant conscient un déterminisme inconscient? A-t-il fait « inconsciemment » autre chose que de la psychanalyse sociale? Nous ne souhaitons que de rendre conscient un autre déterminisme, plus primitif, chronologiquement antérieur, père du précédent, le déterminisme biologique des comportements.

VIII

Sur le contrôle individuel du déterminisme social.

Si nous définissons l'intellectuel, il est peut-être utile de *définir le travail.* L'action de l'homme transformant le milieu et assurant ainsi sa survie fut une notion compréhensible à l'homme des premiers âges. La vie en société spécialisa l'action sur le milieu, chaque individu par son action partielle concourant à la survie de l'ensemble Dès lors, c'est la société qui prit la charge d'assurer l'existence de l'individu en lui demandant en échange de participer à sa survie. Le travail apparaît à l'individu comme un acte social dans sa finalité, allant apparemment à l'encontre de ce qu'il est convenu d'appeler son épanouissement. Si, par malheur, la structure de la société à la survie de laquelle il sacrifie l'essentiel de sa vie ne lui convient pas, cet homme, qui isolé sur une île déserte aurait lutté, souffert pour sa survie sans murmurer, devient un révolté. La technicisation, le travail en miettes viennent obscurcir la finalité première. Dans un tel contexte, le terme de loisirs s'oppose en effet à celui de travail. Les loisirs représentent cette part de nos actes dont la finalité paraît être strictement individuelle, sans lien apparent avec la société. C'est du moins celle librement consentie et apparemment choisie, non imposée par une contrainte sociale.

L'artisan des jours passés travaillait joyeusement à un « ouvrage » qu'il marquait de son sceau individuel, unique. Le fonctionnement de son cerveau structurant s'exprimait par l'intermédiaire de ses mains dans la fabrication d'un objet par lequel se concrétisait l'ensemble de sa personnalité, de ses motivations les plus inconscientes. Cet objet reflétait ainsi ce qu'il savait du monde, son expérience, sa culture. Aujourd'hui, le geste spécialisé ne laisse plus place à l'expression de la personnalité. Cette expression, il faut la chercher ailleurs, dans les loisirs. L'activité fonctionnelle polymorphe des êtres unicellulaires s'est appauvrie considérablement dès lors que les premières sociétés cellulaires se sont constituées et qu'est née la spécialisation cellulaire. Des travaux récents ont montré que les cellules de nos tissus, apparemment si spécialisées, contiennent les possibilités de toutes les autres. Ces possibilités sont « réprimées ».

En ce qui concerne l'homme, ce qui paraît être le problème douloureux de notre époque, c'est qu'étant encore un « animal qui façonne des outils », il est parvenu au stade où l'outil est confectionné en pièces détachées, chaque pièce étant faite isolément des autres, sans vision de la finalité de l'ensemble. Le cerveau structurant n'a plus rien à structurer puisque la structure se réalise en dehors de lui, échappe à la compréhension et à l'imagination du plus grand nombre. La raison d'être de l'objet est tellement perdue dans la complexité des déterminismes socio-économiques, que l'acte créateur a perdu toute signification. Mais s'il est inutile de regretter un passé révolu, il est important d'analyser le phénomène contemporain pour tenter de le contrôler.

L'ouvrier est devenu un *effecteur qui ignore la finalité de son acte* alors qu'il a pleinement conscience au contraire que des facteurs le conditionnent, nous pouvons dire l'aliènent. L'automation croissante le libérera en grande partie de ce travail, mais aussi faible que puisse devenir sur le plan purement énergétique la participation de cet effecteur à la production de l'ensemble, aussi courte que devienne cette participation dans le temps, aussi important que puisse être le temps dont il pourra disposer pour vivre individuellement, l'aliénation ne disparaîtra que si l'on fournit à nouveau une finalité à ses actes. Sinon, quand l'homme contrôlera le travail des machines en appuyant quelques heures par jour sur des boutons, bien que sa ration calorique puisse être réduite au-dessous de celle exigée aujourd'hui pour les travailleurs dits « de force » et les manœuvres, son activité, musculairement réduite, risque de demeurer encore un travail, insupportable et aliénant, alors qu'il pourra cependant utiliser à sa guise quatre-vingt-dix pour cent de son temps.

Bien sûr, on peut, en faisant appel à son affectivité, à des jugements de valeur, à des réflexes conditionnés, à son paléocéphale instinctif pour tout dire, fournir à ses actes une finalité lointaine qui peut être pour lui une motivation suffisante et lui faire accepter son aliénation. Toutes les sociétés ont utilisé ce moyen sous les termes d'idéal ou de sublimation pour asservir l'individu. Il est inutile d'en faire le décompte. Le truc reste valable en période de crise, quand la survie du groupe domine toute considération, toute évolution. Mais quand le calme est revenu, les grands sentiments s'estompent, la finalité lointaine disparaît, les facteurs aliénants demeurent et l'individu, conscient qu'il a été berné, se révolte contre la société qui le berne. Les yo-yo qu'on lui accroche à la poitrine, les diplômes, les discours qui ont alimenté sa vanité et son individualisme ne suffisent plus à motiver son héroïsme journalier.

Or les systèmes biologiques nous fournissent un exemple, rodé depuis quelques millions d'années, permettant d'éviter ces révoltes individuelles. Ils nous engagent à considérer *l'individu comme un système régulé*, au même titre que la réaction enzymatique, une voie métabolique, une cellule, un tissu, un organe, un système, un organisme entier. Chacun des éléments que nous venons d'énumérer, à chaque étape de complexification de la matière vivante, comporte un effecteur, des facteurs, une action. Cette action contrôle d'une part la valeur des facteurs agissant sur l'effecteur, c'est le feed-back, la rétroaction. Elle participe, d'autre part, en qualité de facteur, au contrôle d'un effecteur d'un même niveau de complexité ou d'un niveau supérieur. Inversement, le niveau supérieur de complexité intervient sur la boucle rétroactive, transformant le système régulé en servo-mécanisme. Ainsi, chaque finalité élémentaire concourt à la finalité de l'ensemble.

Il paraît nécessaire, pour fournir une signification à la vie individuelle, et pour que cette vie participe à la survie de l'espèce, *de lui permettre de contrôler les facteurs qui la commandent et de lui fournir une description d'ensemble du système complexe dans lequel elle intervient.* N'est-ce pas cela que l'on pourrait définir comme « participation »? Participation non point aux bénéfices, ce qui transformera chaque travailleur en boutiquier et l'aliénera au profit du petit groupe auquel il appartient, mais participation à la compréhension générale des ensembles socio-économiques de l'époque. Or, cette participation peut-elle être réalisée dans l'ignorance de ce que sont les systèmes biologiques?

Une difficulté supplémentaire apparaît avec ce système complexe qu'est l'homme. Ma cellule hépatique est en partie capable de contrôler son environnement immédiat, le travail de l'ensemble de mes cellules hépatiques est nécessaire à mon cerveau pour fonctionner normalement, mais ma cellule hépatique est incapable de m'empêcher de prendre de l'alcool et d'évoluer lentement vers la cirrhose. Tout au plus peut-elle se mettre en grève et me fournir de sérieux avertissements. Par contre, elle n'interdira pas à mon ensemble organique de courir à sa perte. N'en va-t-il pas de même des ouvriers d'une usine ou des ouvriers d'une même profession? Le problème est de savoir si une *conscience collective* peut naître de l'ensemble des consciences individuelles et si celles-ci peuvent participer à celle-là?

Il y a là un problème qui se situe en dehors de la science. Il ne s'agit pas d'étudier, d'observer la psychologie de groupe, la dynamique des groupes sociaux, d'étudier les facteurs du déterminisme de leur comportement. De même qu'à partir d'un moment, un ensemble cellulaire n'est plus une culture de tissu mais un organisme, où s'individualisent cellules, organes, tissus, pour coopérer à la finalité de l'ensemble, organisme doué d'une certaine conscience suivant le niveau de l'évolution où il est placé, les groupes et les sociétés humaines sont-elles animées d'une conscience à laquelle nous ne pouvons pas plus participer, en tant qu'individu, que ma cellule hépatique ne participe actuellement à l'idée qui s'inscrit sur la page blanche. Qui peut affirmer que non, et quelle preuve pourrons-nous jamais en avoir?

A supposer que l'on puisse prendre connaissance des principaux facteurs agissant sur un effecteur « homme » particulier, à supposer que cette lucidité soit applicable à un certain nombre d'hommes et au-dessus d'eux aux groupes sociaux traités avec la même méthodologie, chaque individu est-il capable d'intégrer sa finalité partielle dans celle de l'ensemble? Le premier problème qui se pose est le choix de l'ensemble. Au stade d'évolution où en est actuellement l'humanité, divisée en une infinité de sous-groupes antagonistes, non seulement nationaux, économiques, idéologiques, mais culturels, raciaux, religieux, professionnels, la seule finalité efficace, la survie de l'ensemble humain, paraît irréalisable, la survie de chaque sous-ensemble ne paraissant pouvoir se réaliser qu'aux dépens de celle des autres.

La notion de classe aurait pu simplifier les choses et réunir à travers les nations, les races et les continents, des éléments analogues, encore que plutôt que « Prolétaires de tous les pays, unissez-vous » on ne voit pas ce qui pourrait nous empêcher de dire « hommes de tous les pays, unissez-vous », si ce n'est que l'unité ne peut se faire que contre quelque chose ou quelqu'un. Qui ne voit que ce n'est là qu'un mot? Il ne suffit pas de dire « unissez-vous », pour qu'un Chinois et un Russe s'embrassent sur la bouche, que les Tchécoslovaques jettent des roses sous les chenilles des tanks soviétiques, que les capitalistes français ne troquent pas leurs francs contre des marks.

Il ne suffit pas de fournir une finalité globale aux actions humaines, encore que celle-ci soit indispensable pour fournir une signification à la vie. Il faut qu'à chaque échelon d'organisation, qui va de l'humanité à l'individu, les systèmes soient définis, leurs interactions correctement énoncées. Il faut, en caricaturant un peu, qu'un ouvrier dont le travail consiste à faire à longueur d'année des roulements à billes sache et comprenne comment cet acte, sans intérêt autre qu'immédiat pour sa survie et celle de sa famille, le relie à tous les hommes, à travers l'économie, les groupes sociaux, son écologie particulière et le moment de l'évolution humaine où le déterminisme l'a fait naître. Compte tenu du fait que la structure de la société humaine contemporaine est extrêmement polymorphe, on ne voit pas comment ce tour de force pourrait se réaliser. De toute façon, une notion générale semble se dégager; elle consiste à donner à chaque individu, parallèlement à son instruction professionnelle à quelque niveau de complexité où celle-ci se situe, une éducation que l'on pourrait appeler « civique » d'un nouveau genre.

IX

La lutte contre l'astructuralisme.

Elle pourrait commencer par la description simple de ce qu'est un effecteur, un facteur, un effet, une rétroaction, de ce qu'est en d'autres termes un système régulé. Montrer que la vie en est pleine, de la réaction enzymatique aux sociétés humaines et à l'humanité dans son environnement cosmique. Elle continuerait par la notion de servo-mécanisme et de niveau d'organisation assurant les réglages de chaque régulateur en vue de l'efficacité de l'action de l'ensemble. Cette structure mentale étant mise en place, il serait possible à chaque individu de participer consciemment au contrôle du système régulé qu'il représente, sur le plan professionnel et privé, c'est-à-dire social, de participer au réglage des servo-mécanismes qui commandent à ces régulateurs individuels, ou réunis en groupes et collectivités, de plus en plus complexes, pour une finalité de l'ensemble, momentanément national avant d'être humain. Pour nous, notre choix est fait. Cette finalité ne peut être que la connaissance, moyen de plus efficace à assurer la survie de l'espèce.

Faut-il ajouter que cette instruction « civique », qui peut paraître primaire, pourrait servir de cadre général à la connaissance, car comment contrôler sans connaître? A partir du moment où l'individu participe à la connaissance des structures biologiques, sociales, économiques, connaissance qui n'a point besoin d'être hautement spécialisée et technique, mais correctement ordonnée, il devient capable de participer à leur contrôle, de juger de l'efficacité de l'action. N'est-ce pas là la véritable participation, la participation au contrôle, à chaque niveau d'organisation?

Essayons de nous résumer en faisant le point sur quelques arguments essentiels exprimés dans les pages qui précèdent:

— Un régime authentiquement socialiste n'existe en aucun pays du monde. L'essai qui en a été tenté, dans l'Europe de l'Est en particulier, a été fructueux pour certains de ces pays en les faisant accéder rapidement à la révolution industrielle alors qu'ils partaient avec un handicap considérable. Certaines classes sociales, qui au début de ce siècle étaient demeurées au stade du servage moyenâgeux, ont été libérées de leurs contraintes et alphabétisées.

— Malheureusement, le prolétariat ne peut dicter sa volonté qu'en connaissance du dynamisme complexe et évolutif des faits sociaux et économiques. Dans leur ignorance, l'utilisation de la plus-value a été orientée par une classe bureaucratique qui a remplacé la bourgeoisie bien que ne possédant pas les moyens de production.

— En pays capitaliste, possédant les moyens de production, la classe bourgeoise guidée par le profit n'a pu consommer à elle seule la plus-value et a dû élever le niveau de vie du prolétariat pour que celui-ci « consomme » plus et participe à l'accroissement du profit.

Dans un cas comme dans l'autre, le prolétariat n'a jamais pris en main son propre destin.

— Mais surtout aurait-il pu le faire, que l'ignorance, même hautement technicisée, lui aurait interdit l'accès à la compréhension des mécanismes qui à travers les différents échelons d'organisation des sociétés modernes doivent assurer la finalité des ensembles.

— Par contre, expression des sociétés humaines les plus technicisées, mais animés d'une conscience des relations en avance sur celle du reste de leurs contemporains, certains individus n'ont pas apporté témoignage de leur temps, mais témoignage des temps à venir. Nous les avons appelés « les découvreurs ». Favoriser leur apparition, faciliter l'expression de leur pensée, devrait être un des problèmes à résoudre, à étudier. Même s'il n'est point certain qu'ils soient capables d'influencer l'évolution de l'espèce, peut-être une part plus active pourrait-elle leur être réservée dans les conseils et la « cybernétique » de la cité humaine.

— Il en résulte que le facteur essentiel d'une évolution de l'humanité technicisée ne nous paraît pas résider seulement dans une transformation socio-économique, mais dans l'extension d'une culture basée sur une accumulation de connaissances, sur *la restructuration mentale du plus grand nombre d'hommes*. L'aliénation économique ne nous paraît pas être la cause de l'aliénation intellectuelle et sociale, mais sa conséquence. Si l'on me rétorque que si je parle ainsi c'est que je suis issu d'un milieu bourgeois et que je ne puis exprimer autre chose que le contenu de mes déterminismes, je suis tenté de croire que l'aliénation du prolétariat à la bourgeoisie, à la technocratie ou à la bureaucratie, est une question d'absence d'un humanisme moderne alliant la conscience des problèmes humains à la science et à la technique. J'en veux pour preuve qu'en focalisant notre attention sur l'aliénation du prolétariat aux classes dominantes, on raisonne comme si celles-ci n'étaient pas elles-mêmes aliénées. Elles le sont tout autant que le prolétariat par leurs préjugés, leurs morales, leur ignorance de ce qui n'est pas technique ou humanisme d'un autre âge, leur obéissance au profit pour le profit, leur soumission à leur besoin de domination, emportées par leurs désirs inconscients et leur absence de lucidité en ce qui concerne les motivations profondes de l'homme et son déterminisme.

En définitive, ce qui manque au prolétariat, c'est moins de ne pas posséder les moyens de production que ce qui manque aux classes dominantes, la culture efficace, capable de leur faire mieux comprendre les structures et les choses de la vie, ce qui leur permettrait de les mieux dominer. Cette ignorance s'explique du fait que la biologie n'est parvenue que tout récemment à la dignité d'une discipline scientifique. Pour cela, elle a dû prendre une connaissance scientifique, c'est-à-dire expérimentale, des mécanismes de la vie à tous les échelons d'organisation qui la caractérisent, de l'atome au comportement. Ce n'est qu'au cours des dernières décennies que l'étude du fonctionnement de l'organe qui fait l'homme, le cerveau, est sortie de l'empirisme et de la phraséologie. Ainsi, il n'est pas illogique d'affirmer que *c'est maintenant seulement que tout commence,* car dans l'ignorance d'une biologie générale aucune science de l'homme n'était possible. Qu'on le veuille ou non, que cela paraisse cruel à ceux dont les connaissances sont essentiellement littéraires, les sciences dites humaines ne pourront s'établir que sur des bases biologiques solides, c'est-à-dire des bases physico-chimiques, de même que la biologie n'a pu naître qu'avec l'abandon des « forces vitales » et la naissance de la physique moderne.

Nous n'en sommes malheureusement pas là et tout essai dans ce sens peut paraître prématuré, voire suspect.

Que l'on me comprenne bien: je ne veux pas dire que la *libération du prolétariat* des forces oppressives qui l'écrasent n'est pas un problème essentiel. Je veux dire que cette libération ne pourra être obtenue que par la connaissance largement répandue des structures et de leur dynamisme. Sans elle, le prolétariat ne fera que changer d'aliénation. Il échangera d'anciens maîtres contre de nouveaux maîtres aussi aliénants et il ne lui suffira pas de détenir enfin la propriété des moyens de production pour accéder à la sagesse de leur emploi. L'*« épanouissement »* de l'homme, cher à toutes les idéologies, de droite, de gauche ou du milieu, est un vain mot. Toute vie en société est aliénante et oppressive pour l'individu, à quelque classe qu'il appartienne. La seule façon de rendre ces chaînes plus légères est, je le crois, d'en montrer la signification cosmique, de mettre en lumière le déterminisme et les pulsions individuels, d'en préciser les conditionnements, de chercher avec lucidité la finalité de l'espèce et de tenter de conformer la finalité de chaque groupe humain, aux différents niveaux d'organisation et de complexité des sociétés, à la finalité de l'ensemble. D'autre part, la connaissance, comprise comme accumulation des faits acquis, sera aussi inefficace que l'ignorance la plus aveugle, si elle n'entre pas dans le cadre général des structures et de leur dynamisme. Nous n'avons pas plus à espérer, pas plus à attendre pour l'évolution humaine d'un professeur de faculté que d'un manœuvre si l'un et l'autre n'ont pas pris conscience de leurs déterminismes. Dans la terrible et angoissante énormité des faits naturels, quelle différence peut-il y avoir entre la connaissance de ce qu'il est convenu d'appeler un « savant » et celle d'un analphabète? La seule différence entre les individus, la seule permettant à certains d'entre eux d'enrichir le trésor de la connaissance, résulte de leur structure mentale, de la façon dont en définitive ils sont capables d'organiser leur expérience progressive de l'univers.

Chaque fois que l'homme a eu conscience de sa dépendance, de sa soumission à l'égard de certaines lois physiques, il a cherché à y échapper. Pendant des millénaires, ne plus être soumis à la pesanteur fut une de ses constantes préoccupations. Le mythe d'Icare se termine aujourd'hui dans l'astronautique. Il est naturel que, devenu conscient de l'existence des classes sociales, de l'oppression de certaines d'entre elles à l'égard des autres, il ait, en prêchant la lutte des classes et la dictature du prolétariat, tenté de se libérer. Il est naturel qu'il n'ait pas voulu considérer ce déterminisme comme implacable et définitif. Mais nous devons comprendre que *se libérer de la pesanteur, ce n'est pas pour autant supprimer les lois de la gravitation*, c'est dans un certain sens s'y soumettre. On peut facilement soupçonner que supprimer les classes sociales, ce n'est pas éliminer les motivations dominatrices inconscientes qui survivront dans chaque individu, prêtes à resurgir et à opprimer. C'est par la connaissance des lois de la gravitation que l'homme a pu s'en libérer dans certaines conditions. Ce n'est pas en ignorant la complexité des déterminismes humains, en ignorant les lois les plus fondamentales de la biologie, que l'on résoudra le problème de l'exploitation de l'homme par l'homme. Non qu'il faille épouser une attitude de vaincu et dire que la nature humaine reste et restera toujours la même, que le progrès n'est qu'un progrès technique et que le comportement humain, la « nature » humaine ne peuvent s'améliorer. L'homme est obligé de changer dans son essence, avec les changements de l'environnement, sans quoi il ne survivrait pas. Mieux nous connaîtrons ces lois fondamentales de la biologie, lois aboutissant au comportement individuel, et à son antagonisme avec les lois qui commandent à la survie des sociétés humaines, mieux nous pourrons les contourner, ou les utiliser pour assurer la finalité de l'espèce.

Il ne suffit pas comme Icare de s'inventer des ailes pour voler, ou comme certains révolutionnaires le pensent d'abolir les classes existantes pour assurer le plein épanouissement de l'individu, au sein d'une société mythique qui ne lui en laissera jamais le loisir car elle répond à d'autres lois. Mais il s'agit *de découvrir comment*, de même que nous avons découvert comment nous dégager de la pesanteur qui nous plaque au sol de notre planète, *l'homme individu et l'homme social, qui ont des finalités en apparence aussi opposées bien que répondant l'un et l'autre à la finalité d'ensemble de la survie de l'espèce, pourront un jour peut-être les faire coïncider, sans danger, sans déchirements, sans douleur.* Comment peut-on espérer faire du prolétariat un ensemble d'individus capables d'assurer leur propre destin, capables de se libérer de toutes les aliénations, bourgeoises, technocrates, bureaucrates ou autres, capable si l'on remet entre leurs mains les moyens de production de savoir les utiliser non point seulement au niveau d'organisation de l'usine, mais à tous les autres niveaux d'organisation progressive dont l'ensemble constitue l'activité d'une nation, s'il est maintenu dans l'ignorance, non de la table de multiplication ou de la notion de dérivée, mais dans l'ignorance de la notion de structure? S'il est nourri au petit jeu de Lucien Jeunesse et aux enzymes gloutons? Si on lui interdit de penser en le gavant de slogans ou de dogmes? Il peut bien devenir propriétaire des moyens de production, tout porte à croire qu'il retombera entre les mains de quelques individus bavards et mieux informés, sans l'être beaucoup pour autant, mais dont il ne pourra pas juger l'ignorance, tout empêtré dans la sienne, et qui lui feront croire que l'âge d'or est pour demain s'il remet aveuglément son sort entre leurs mains. Tout essai de réalisation du socialisme passera par la recherche de la structure mentale véritablement scientifique capable de fournir au plus grand nombre une méthodologie générale d'appréhension des faits. Cette méthodologie devrait permettre à chaque individu d'acquérir la connaissance d'un nombre essentiellement variable de ceux-ci, des plus simples aux plus complexes, mais en les ordonnant en dehors des jugements de valeur. N'est-ce pas ce que fait, dans le domaine restreint des chiffres, la table de multiplication? Une société qui a été capable de supprimer, ou peu s'en faut, l'analphabétisme, ne serait-elle pas capable de faire disparaître l'astructuralisme? Si l'on n'en passe pas par cette étape éducative indispensable, que pourront donc faire des « conseils ouvriers » avec leurs délégués à des « conseils de délégués », etc., jusqu'au « conseil central »? Qui ne voit qu'il ne s'agit là que de la mise en place d'un système, autrement dit d'un effecteur, mais que celui-ci a besoin d'un but pour rendre efficace son action? Or, à chaque niveau d'organisation, de l'usine à l'Etat, ce système est lui-même constitué d'effecteurs qui ne peuvent considérer leur finalité propre que subordonnée à la finalité d'ensemble du système et en corrélation avec tous les autres effecteurs concourant à celle-ci. Le système lui-même n'est pas isolé, il répond à des commandes prenant naissance en dehors de lui. Dans cette hiérarchisation, non des valeurs, mais des structures, chaque élément a besoin d'être conscient, de connaître toutes les finalités, tous les facteurs, tous les effecteurs et tous les effets. Dans leur ignorance, il sera fortement asservi, quelle que soit la classe, le groupe ou les individus qui réaliseront, à leur avantage, cet asservissement. Ce n'est pas en « organisant l'ignorance » dans une société sans classes que l'on parviendra à la culture, c'est-à-dire à la connaissance, absolument indispensable à l'action.

Revenons aux finalités premières de l'individu. Nous avons dit que nous pouvions leur distinguer deux tendances essentielles: la recherche de la nourriture et la protection à l'égard des caractéristiques de l'environnement incompatibles avec sa survie ou seulement avec son bien-être.

Il est facile pour un individu, et malgré la division du travail, de comprendre que c'est en échange de son travail que la société lui fournit de quoi assurer ses besoins élémentaires, nourriture, logement, habillement, technicité même. Laissons de côté la question de la plus-value et imaginons que l'individu d'une société idéale reçoive exactement, directement ou indirectement de celle-ci, le remboursement en marchandises variées de sa prestation individuelle. Notons au passage combien cette notion est inexacte. En effet, il reçoit en réalité bien plus car, pour son travail limité il absorbe un ensemble d'informations considérable, chaque marchandise étant la résultante du progrès technique de toutes les générations qui l'ont précédé et qui sont concrétisées en elle. Ce que les découvreurs ont permis d'accumuler au cours des siècles, lui, individu d'une époque, va pouvoir en profiter gratuitement sans avoir rien fait pour cela, à quelque classe qu'il appartienne.

Il lui est facile de comprendre le fonctionnement du régulateur qu'il représente en tant qu'individu, puisque c'est par son travail, par l'effet auquel il donne naissance, que la rétroaction négative supprimera, en les assouvissant, ses besoins primordiaux. *C'est là son aspect économique, énergétique pourrait-on dire,* identique en cela à celui de toutes les formes vivantes qui, par leur action sur le milieu, assurent l'assouvissement de leurs besoins, c'est-à-dire le maintien de leur structure vivante.

Suivons, en les simplifiant, aux différents niveaux d'organisation des sociétés, ce que va devenir cette libération d'énergie, ce travail. Si du point de vue de l'individu, c'est ce travail qui assure sa survie, il entre dans un ensemble plus grand. Il n'est qu'une parcelle de l'ensemble du travail fourni par les ouvriers d'une usine et qui permet à cette usine une certaine production. La production de cette usine s'inscrit dans la production d'autres usines qui concourent à une même industrie. Celle-ci s'inscrit dans la réalisation du produit national brut auquel elle donne une certaine orientation, une certaine utilité sur le plan international. On peut espérer qu'elle participe à l'évolution de l'espèce humaine à la surface de la planète.

On imagine la complexité des rouages locaux, régionaux, nationaux, internationaux et planétaires auxquels participe, en tant qu'individu, l'ouvrier le moins spécialisé. Quel pouvoir a-t-il sur le fonctionnement de ces mécanismes? Son travail, après avoir permis l'assouvissement de ses besoins élémentaires, l'abandonne. Il est entraîné dans des régulations, des servo-mécanismes qui le dépassent et dont il devient l'artisan inconscient, impuissant, dont il ne peut se dégager. Le contrôle, il l'abandonne à ceux qu'il croit capables de l'assurer et qui n'ont de différence avec lui le plus souvent qu'une plus grande facilité de langage et quelques principes généraux stéréotypés d'économie, de politique ou de sociologie. Nous savons ce que l'on peut penser actuellement de ces sciences humaines. Le devenir lointain de son travail ne l'intéresse que modérément, dès que ses besoins essentiels sont assurés. Imaginons que la propriété privée des moyens de production soit abolie. Elle l'est dès maintenant dans les pays de l'Europe de l'Est. En quoi cela change-t-il pour lui le contrôle du devenir de son travail? A supposer qu'il puisse le contrôler à l'échelon d'organisation qui l'englobe immédiatement: l'usine, comment serait-il capable d'avoir une opinion cohérente sur ce devenir, à l'échelon de l'industrie, de l'économie générale, nationale et internationale? La seule opinion qu'il puisse avoir, concerne son bien-être individuel et celui de ses proches. Mais cette finalité personnelle sera, dans l'état actuel des choses, en opposition fréquente avec celui des groupes de complexité croissante à la constitution desquels il participe. Il ne contrôlera rien, malgré la disparition du facteur essentiel conditionnant l'existence des classes sociales et la disparition des luttes auxquelles elles donnent naissance. Il se sentira berné dès que la tromperie démagogique ne parviendra plus à lui faire croire qu'il est devenu maître de son destin.

Par contre, ce qu'il connaît, ce qu'il supporte,

c'est *son environnement immédiat.* Cet environnement est à la fois *matériel et humain.* Si l'on peut admettre qu'il est à même par son travail de contrôler en partie son environnement matériel, il est entièrement livré à son environnement humain. Les hiérarchies sociales, les lois, les préjugés, les interdits innombrables, tout ce que les sociétés ont inventé pour assurer leur survie personnelle, ne peuvent qu'étouffer l'individu, réprimer l'expression de ses désirs, son désir de domination d'abord, qui se heurte à celui des autres. C'est la raison pour laquelle toute société érige en vérité des jugements de valeurs auxquels elle oblige l'individu dès sa naissance, pendant toute son enfance et son adolescence, à croire comme à des lois physiques du monde matériel. Elle crée en lui, pour l'âge adulte, des réflexes conditionnés du type de ceux qui permettent de conduire une automobile, de lire, d'écrire ou de compter, de telle sorte qu'il devient incapable d'imaginer autre chose. Il est probable que cette autre chose aboutirait à la disparition de la société en cause, telle qu'elle s'est établie à une époque révolue, telle qu'elle veut survivre. Cet environnement humain, cet environnement social, l'individu ne trouve à partir de son travail, de son action, aucune rétroaction capable de le réguler. Les réflexes conditionnés le rendent, le plus souvent, incapable de prendre conscience de ce qu'il existe quelque chose à réguler. Il vit dans un univers de jugements de valeurs sans en être conscient et sans avoir goût de les changer. Ainsi, ignorant le destin purement énergétique de leur travail, ignorant les conditionnements que la société a créés en elles, si leur niveau de vie est suffisant il devient difficile de faire bouger les masses, sinon en leur mentant démagogiquement, car il est hors de question de les déstructurer sans qu'elles en éprouvent le besoin. Par contre, elles sont mobilisables en rationalisant leurs pulsions endocrino-végétatives profondes, refoulées par une société qui les redoute, sans les comprendre. En effet, elles sont du domaine de l'inconscient, et leur langage n'est pas un langage cartésien. C'est peut-être fondamentalement celui de la reproduction, de la survie de l'espèce. Allez donc dire cela aux candidats aux élections municipales ou aux membres d'un conseil de l'ordre!

X

Naissance et rôle des sciences de la vie.

Pauvre homme enfermé dans ses déterminismes: ceux de l'extérieur et ceux de l'intérieur, les uns agissant sur les autres, et les autres réagissant sur les uns! Ceux de l'*extérieur*, du monde matériel et du monde humain: ceux dont il a le plus conscience, ceux qui l'accablent parce qu'il les observe en dehors de lui. Ceux de *l'intérieur*, dont il a partiellement conscience quand il peut en rendre responsable l'environnement, « on, ils », peu souvent et bien obscurément. Ceux de l'intérieur dont il n'a pas conscience, parce qu'ils sont lui, son système nerveux et ses glandes, son capital génétique, ceux de tous les hommes, et pourtant différents pour chacun d'eux!

Il a cependant une possibilité de fuite, en montant les marches de l'*imagination créatrice*, pour aller chercher à l'étage d'au-dessus un déterminisme d'un niveau plus élevé d'organisation. De même que son système neuro-musculaire, don de l'évolution, lui permet comme aux autres espèces animales la fuite ou la lutte à l'égard de l'environnement, l'imagination créatrice particulière à son espèce lui permet d'aller chercher ailleurs ce qu'il nomme la liberté. Il croit l'avoir trouvée à l'étage de ses motivations inconscientes, déterminisme qu'il ignore; il croira la trouver grâce à son imagination créatrice. Du moins lui permettra-t-elle de sortir du cercle étroit où il est enfermé, de même qu'une connaissance précise des lois de la gravitation lui fut nécessaire pour s'arracher à l'attraction terrestre. Là encore, il ne s'agit pas *de Liberté, mais de la connaissance de ses déterminismes*. Ainsi pour nous, si le capitalisme n'est pas capable d'assurer l'évolution humaine, ce n'est pas seulement parce qu'une classe en exploite une autre, alors qu'elle est elle-même exploitée par ses pauvres déterminismes inconscients. En abandonnant la propriété privée des moyens de production, elle léguera ces motivations inconscientes aux hommes qui lui succéderont. La preuve en est faite. C'est sans doute moins encore parce que le prolétariat doit assurer son propre destin, ce qu'il ne saurait faire dans l'ignorance des facteurs qui commandent à ce destin et que sa libération à l'égard de la classe dominante ne lui apprendra pas pour autant, que parce que le capitalisme a oublié ce qui nous paraît être la finalité humaine, *la connaissance*. Il l'a remplacée par le profit pour la domination d'une classe, en endormant l'autre dans une vision digestive du bonheur.

Mais le socialisme à partir de maintenant, au stade des sociétés industrielles, n'aura de chances de participer à l'évolution humaine que s'il fait un effort considérable d'*information des masses*. Information non seulement des bases du marxisme-léninisme, vieille de près de cent ans et que l'on répète comme un catéchisme, qui ont d'ailleurs reçu une large diffusion sans pour cela entraîner encore l'adhésion du plus grand nombre, mais encore *information aussi* essentielle *concernant le déterminisme biologique de l'individu et des sociétés*. On ne peut reprocher à Marx et à Lénine l'ignorance de la moitié du problème socio-économique, compte tenu de l'ignorance encore récente des disciplines biologiques elles-mêmes concernant les bases biologiques du comportement. Ce qui explique d'ailleurs en partie l'épanouissement des philosophes et des philosophies.

On ne peut reprocher non plus à bon nombre de leurs successeurs d'avoir confondu la neurophysiologie avec l'œuvre de Pavlov, aussi importante soit-elle, ou avec une typologie simpliste, alors que bon nombre de neurophysiologistes eux-mêmes sont essentiellement confinés dans l'électrogénèse cérébrale et demeurent ignorants de l'ultrastructure neuronale et gliale ou de la biochimie et du métabolisme variés caractéristiques des différentes aires cérébrales et sous-tendant leur fonctionnement. On parle beaucoup ces temps-ci d'interdisciplinarité, mais il faut avoir commencé tôt pour la réaliser. Il faut aussi avoir une méthodologie pour unir fonctionnellement les niveaux d'organisation et ne pas les confondre, puisqu'à chaque palier d'organisation une fonction nouvelle émerge du nouveau système, et cela jusqu'au comportement. Or, dans cet ensemble rien ne peut être isolé, sans déformer, rien ne peut être isolé autrement que de façon expérimentale, à la recherche de la régulation mais en se souvenant du servo-mécanisme. Est-il pensable que l'on puisse le faire pour l'individu et les groupes sociaux, et que l'on puisse édifier une psychologie et une sociologie qui ne soient pas d'abord biochimiques? A moins que l'on se contente de vivre dans un monde de mots réifiés: psychisme, sentiments, essence, affectivité, etc.

Pour qui a participé à des réunions de groupes, professionnels ou autres, pour qui a tenté de demeurer lucide, de prendre au milieu de ces réunions une certaine « distanciation » comme on dit, toutes les confrontations, tous les antagonismes recouverts généralement par le manteau purificateur du discours logique, voire par quelques grands clichés humanitaires, n'apparaissent en fait que l'expression du besoin de domination des individus ou des groupes sociaux, pour la défense d'intérêts souvent pécuniaires, mais au deuxième degré. Au premier, c'est d'abord l'expression des désirs, celui d'être aimé, d'être le plus beau, le plus fort, celui d'être celui qu'on écoute et qu'on suit, ou de participer au groupe ou à la classe qui commandent et à qui l'on obéit. Le problème économique n'est plus qu'un moyen d'y parvenir ou de conserver ce pouvoir. Celui de participer à cette forme dégradée du désir de reproduction et de perpétuation de l'espèce, que quelques microgrammes d'une drogue psychotrope peuvent transformer radicalement.

Comment s'étonner, si la majorité des hommes n'est pas informée de ces déterminismes, si on ne l'en rend pas pleinement consciente, que les dés soient éternellement pipés, que le jeu soit impossible, continuellement truqué, perverti par les faux « beaux sentiments humanitaires » ? Les grandes phrases creuses et tristes, les démagogies, les aliénations mentales d'une classe par l'autre, les cultes des héros et des gangsters? On parle souvent aujourd'hui de « démythification » alors qu'il ne s'agit généralement que du remplacement d'un mythe par un autre. On nous parle de notre société post-industrielle qui doit se transformer en société scientifique. Bien sûr. *Mais la science n'est pas seulement extérieure à l'homme,* elle n'est pas seulement dans les fusées, les réacteurs et les moteurs à explosion; elle n'est pas seulement dans les chambres à bulles et les piles atomiques, les quasars et les satellites de télécommunication.

La science est aussi dans l'homme, dans l'intimité de ses tissus, en allant de la moindre de ses molécules à son comportement. Tant que cette science-là n'aura pas été intégrée au monde moderne, nul espoir pour l'homme de comprendre quoi que ce soit à ce qui l'entoure, à ses actes, à ses douleurs comme à ses béatitudes. Ou bien il ira les chercher dans le L.S.D. ou la marijuhana. Il appauvrira son cerveau devenu incapable de comprendre et dont il devine vaguement qu'il est l'organe de ses désillusions, au lieu d'en faire l'instrument de sa richesse et de sa délivrance.

Ce n'est que lorsque cette intégration sera réalisée que les technocrates pourront aborder plus efficacement la solution des problèmes particuliers, ceux de l'agriculture et des petits détaillants, ceux de la retraite des vieux et des assurances sociales, celle de l'amélioration du niveau de vie des travailleurs, travailleurs dont on aura encore besoin un certain temps sans doute avant le règne généralisé des machines. Ce n'est qu'alors que nous pourrons comprendre la vraie signification des luttes de classes, leur renaissance rapide quand on croit les avoir supprimées, *l'utopie d'un socialisme où l'homme serait transformé par la seule magie de la transformation du milieu et des rapports de production, tandis que son hypophyse, ses surrénales, sa thyroïde et ses glandes sexuelles, son système limbique, sa formation réticulaire et son système thalamique diffus, son cortex enfin seraient restés désespérément les mêmes.* Sans doute une transformation profonde de l'environnement est-elle nécessaire à l'apparition de l'homme nouveau. Sa connaissance n'est que l'engrammation, dans sa mémoire, du monde qui l'entoure et seule l'imagination créatrice peut le dégager par instants de l'emprise du milieu connu.

Mais cette transformation du milieu n'est pas suffisante pour supprimer ses corréaltions neuro-endocriniennes, bases profondes de son comportement. Comme pour la gravitation, il ne pourra dépasser sa soumission à celui-ci qu'en connaissant les mécanismes biologiques qui le gouvernent. Bien plus, cette connaissance devra être largement diffusée et remplacera avantageusement dans nos périodiques la chronique du cœur et les amours de Farah Diba et de Sylvie Vartan, ce qui montre qu'il y a plusieurs façons d'aborder l'endocrinologie sexuelle et la base biologique, et donc sociologique, des comportements. Elle devrait être enseignée dès l'école enfantine, et a pour le moins autant d'importance que la table de multiplication. Celle-ci ne sert qu'à faire des commerçants, celle-là servirait à faire des hommes, conscients de ce qu'ils ne sont ni anges ni bêtes, mais des animaux curieux capables d'imagination, pour peu que l'on n'enfouisse pas dès sa naissance cette faculté fondamentale, sous les décombres d'une pseudo-culture, sous des réflexes conditionnés et des interdits sociaux.

La société post-industrielle, la société de connaissance opposée à celle de consommation, la société scientifique pour tout dire, sera d'abord une société des sciences biologiques ou elle ne sera pas. *L'homme doit dès maintenant tourner son regard curieux, non plus seulement vers son environnement mais sur lui-même.* Quand on réalise combien la science moderne a déjà profondément influencé sa vie, sociale, économique, individuelle, on peut s'étonner que la biologie n'ait encore eu pratiquement aucune influence sur l'évolution de son comportement. Lorsque l'on pense au fait que chaque enfant qui naît est une page blanche, découpée dans le long parchemin enroulé du déterminisme génétique, mais fraîche et immaculée comme au premier jour du monde humain; lorsque l'on pense que ce qui s'inscrit très tôt sur elle, ce qui fait sa richesse et sa fragilité, c'est l'expérience acquise par l'humanité au cours des âges, et que cette expérience nous sommes seuls et tous responsables du contenu sémantique des caractères qui la transcrivent, nous sommes tentés de conclure qu'il y manque un chapitre sans doute essentiel, à voir le monde des adultes, ce monde aveugle et déchaîné. Et c'est vrai qu'à l'héritage nous n'avons pas encore ajouté, ce que nous savons ou du moins croyons connaître de la Vie. Sur cette page blanche s'inscrivent, jour après jour, les lois physiques et les lois sociales, les règlements, les sens interdits, les feux rouges, les codes, les limitations de vitesse, mais rien, absolument rien, concernant la page elle-même, son origine, sa texture, ses filigranes, sa couleur et son utilité.

Tout se passe come si l'homme avait peur de lui-même, et s'il n'osait exprimer ouvertement ce qu'il sait être. Comme si les sociétés, pour survivre, avaient besoin d'entretenir, en chaque individu, une fausse idée de lui-même; comme si elles espéraient le soumettre plus aisément, en lui faisant croire qu'il les a librement choisies, et que lorsqu'elles se transforment c'est lui, qui est l'auteur de ces transformations. Qu'adviendrait-il, si l'une d'elles disait un jour aux individus qui la composent que c'est en dehors d'elle, mais principalement en eux, dans la complexité de leur mécanisme humain qu'ils pourront trouver les moyens les plus efficaces pour la contrôler?

Un vers entre autres a influencé mon existence. Il vient souvent encore chanter en moi: « Homme libre, toujours, tu chériras la mer. » En lui respire, je crois, tout le déterminisme de l'homme dans l'Univers.

***

Ecrire qu'aucun physiologiste ne découvrira la valeur de la force de travail dans la cellule nerveuse, c'est émettre un argument aussi convaincant que de dire qu'aucun anatomiste n'a trouvé d'âme sous son scalpel. C'est le genre d'argument résultant du mélange des niveaux d'organisation capable sans doute de convaincre en amusant. On peut tout démontrer avec des mots. Mais en science, il ne s'agit pas seulement « de dire », il faut « prouver » aussi, démontrer en expérimentant. Les « analyses » les plus logiques s'effritent devant la rigueur des faits expérimentaux. Sans doute n'est-il pas question d'aller chercher ceux-ci dans l'ère préscientifique d'une discipline. C'est malheureusement un cas relativement fréquent, car l'acquisition des données fondamentales et contemporaines de cette discipline est souvent, pour un littéraire d'un certain âge, au-dessus de ses moyens.

En réalité, les psychologues ont tendance à remplacer l'âme par les rapports de production et le Christ par Marx. Le biologiste non stupide (il en existe sans doute quelques-uns), le structuraliste non borné (cela doit exister aussi), le psychanalyste cultivé, ne nient certainement pas l'empire sur un psychisme humain des rapports de production. Nous leur avons accordé une part prédominante dans le déterminisme du comportement individuel. Ce que nous croyons, par contre, c'est que ces rapports de production ne s'établissent pas entre des anges asexués, hypophysectomisés, surrénalectomisés, lobotomisés, etc., mais entre des hommes dont la structure biologique n'est pas seulement celle des grands singes anthropoïdes, mais cette structure-là aussi rendue plus efficace par des systèmes associatifs plus nombreux, autorisant l'expression de l'imagination créatrice. La survie de l'individu et de l'espèce profite largement du fait que l'agressivité est à la base du comportement. Nous désirons seulement faire prendre conscience de ce phénomène plus fondamental, plus primitif, que la notion de plus-value. La connaissance de ces mécanismes biologiques qui sont la matière des mécanismes sociaux est le seul espoir que nous ayons de dominer les uns et les autres. La biologie n'intervient pas seulement pour agrémenter, diversifier le comportement individuel. Elle intervient dans chaque individu et d'une façon très générale pour commander le comportement de l'homme dans la société. Et cette société n'est telle, les rapports de production ne sont ce qu'ils sont, que parce que le comportement biologique inconscient de l'homme le commande ainsi. Transformer les rapports de production ne transformera pas fondamentalement (ce qui ne veut pas dire qu'ils ne puissent influencer partiellement) le comportement individuel et social. Tant que nous ne tiendrons pas en main les clefs des mécanismes internes de ce comportement biologique, la sociologie demeurera une amputée, si l'on admet qu'avant Marx elle était cul-de-jatte.

Dans la transmission des informations de notre siècle et des siècles passés aux enfants d'aujourd'hui et aux hommes de demain, nous percevrons deux grands courants novateurs.

L'un peut être la base d'un *humanisme nouveau*, largement diffusé et aboutissant à la mutation qui nous paraît essentielle, celle de *la structure mentale des hommes*. On peut en tracer le cadre. Il comprend d'abord l'enseignement devenu indispensable des bases biologiques du comportement comme conclusion à l'enseignement des mécanismes essentiels de la vie, ce qui a pour le moins autant d'importance que le problème des robinets et l'accord des participes. Il mettra en évidence le déterminisme de nos comportements, l'aveuglement qui anime nos jugements de valeurs, il débouchera sur la tolérance et le relativisme des faits humains. Il montrera le peu d'espace qui sépare les héros des esclaves; la véritable égalité n'existe pas si ce n'est dans notre soumission à nos déterminismes. En apprenant dès l'enfance à se mieux connaître, l'homme apprendra à mieux connaître ses semblables, à mieux comprendre leur comportement en sociétés. Nous devons aussi transmettre la notion fondamentale de « structure », son application dynamique à travers les rudiments de la cybernétique, en montrer les possibilités d'adaptation aux problèmes humains, sociaux et économiques, et l'instrument méthodologique irremplaçable qu'elle constitue. Nous devons mettre en ordre les informations transmises, par niveaux d'organisation successifs avec les interrelations existant entre eux. Il ne s'agit plus de collectionner des « connaissances » auxquelles on ne comprend rien parce que sans lien entre elles, mais de fournir un instrument, un outil, pour construire le monde dit matériel, par l'intermédiaire de la construction de notre monde mental.

Ce premier courant que nous venons de schématiser assurera la réalisation de ce que certains appelleraient sans doute *l'Homme moral*. Moral, parce qu'il aura à obéir à certaines lois, non du type de celles imposées par l'intérêt inconscient des sociétés, et qui n'étant pas accompagnées de notice explicative doivent être appliquées de façon coercitive ou en faisant appel aux sentiments les plus instinctifs, aux « paris » les plus mercantiles, aux préjugés les plus médiocres, à ce qu'il y a enfin de plus animal dans l'homme. Il obéira à des lois, mais à celles de la nature et de la vie, en tentant d'en trouver d'autres, plus fondamentales, qui le libéreront des précédentes.

L'autre courant est celui de *l'Homme énergétique*, forme qui restera sans doute longtemps encore nécessaire. Celui-ci se situera par rapport au précédent, il prendra vis-à-vis de lui sa véritable place: il parlera de l'Homo faber. C'est l'éducation technique, la seule envisagée aujourd'hui, quelle que soit l'idéologie de référence.

Or pour faire des techniciens, quelle que soit la discipline, point n'est besoin d'universités. Il suffit d'écoles techniques. L'université aujourd'hui n'est d'ailleurs pas autre chose: elle fournit des techniciens à ce monde qui les réclame et les consomme à une vitesse exagérée. Tant et si bien qu'on ne parle plus que de recyclage, de formation permanente, etc. Travail en miettes des mains et du cerveau, sporulation accélérée des individus, voilà le seul désir des sociétés technicisées actuelles, le seul avenir proposé à l'individu. Et on lui cache si bien le précédent que le pauvre se laisse facilement convaincre, proie inerte non d'une classe, elle-même inconsciente de ses motivations, mais de toute une forme de civilisation (si tant est que ce mot ait encore un sens).

Si des *écoles techniques*, aussi bien de médecins, d'architectes, de juristes, d'ingénieurs, etc., sont indispensables, on peut souhaiter que l'université serve à autre chose. L'information transmise dans une école technique ne se discute pas, elle s'absorbe. Elle est certitude et réalité. Elle débouche sur des débouchés. Avons-nous si bien réussi notre monde, pouvons-nous en être suffisamment fiers, pour l'enseigner comme une certitude assurant à celui qui la régurgite aux examens et concours une place de choix dans ce monde qu'il ne sera même plus à même de discuter puisqu'il en fait dès lors partie?

Le *rôle de l'université* ne devrait-il pas être au contraire de créer en toutes disciplines des esprits « contestataires », aptes à penser plus loin que ceux qui les ont précédés? Et pour cela n'est-il pas indispensable non d'enseigner des certitudes, ce dont les écoles techniques se chargeront toujours trop, mais au contraire les failles, les contradictions, les insuffisances? De montrer non ce qui va, mais ce qui ne va pas? Non des champs fermés, mais des champs ouverts aux imaginations créatrices? Le rôle de l'universitaire ne serait-il pas de faire le bilan du connu pour passer très vite avec les générations montantes à la recherche de l'inconnu?

On répète assez fréquemment, sur des bases sérieuses semble-t-il, qu'après trente-cinq ans un homme ne trouve plus rien. Mais alors, comment peut-il jamais trouver quelque chose s'il est technicisé jusqu'à cet âge, sans jamais sortir de sa technicité et si celle-ci ne consiste qu'à accumuler les informations concernant les siècles passés? Non que la collecte des informations ne soit pas indispensable. Mais outre qu'elle ne sert à rien si elle ne s'établit pas dans une structure, où s'arrête cette collecte, où se situe la frontière entre le fatras inutile et l'information indispensable? N'est-ce pas la rencontre avec la vie, avec les problèmes concrets du devenir, qui constitue le meilleur contrôle des connaissances? qui constitue l'aiguillon indispensable au dépassement, qui exige la mise en jeu de l'imagination créatrice que l'on nous dit s'éteindre après trente-cinq ans? Cet âge limite n'est peut-être d'ailleurs que la conséquence des réflexes conditionnés créés chez l'homme jeune par une société de vieillards qui veut se perpétuer. Rien ne prouve que si l'on laissait l'adolescent et le jeune homme exprimer très tôt leur imagination, celle-ci ne serait pas plus longtemps créatrice à un âge beaucoup plus avancé. Rien n'est plus néfaste que des règlements de manœuvre, imposés en invoquant une expérience qui ne devrait être là que pour orienter, non pour diriger. Mais cela exige de l'enseignant beaucoup d'humilité, beaucoup d'esprit critique pour lui-même, et le moins possible pour les autres, ce qui devient difficile dans une société entièrement parcheminée. Elle exige de lui qu'il accepte la critique et la discussion avec l'enseigné que généralement il paternalise et qu'il admette que celui-ci, du seul fait qu'il est né et a grandi dans un monde qu'il ignore, car il n'est déjà plus le sien, peut mélanger les informations qu'il lui transmet d'une façon nouvelle après les avoir destructurées.

Je crois fermement que tant que l'on n'aura pas compris cette distinction indispensable entre l'homme technique et l'homme imaginant, notre société s'enfoncera dans un chemin sans issue, que les grands mots concernant l'humanisme ne seront pas suffisants à ouvrir sur des lendemains qui chantent...

Pour cela, il paraît nécessaire de ne pas réunir sous la même étiquette, le mot « travail », des choses différentes, de ne pas confondre l'homme imaginant avec le travailleur intellectuel ou le travailleur tout court. La confusion est venue du fait qu'au cours de l'ère artisanale puis industrielle que nous sommes en train de quitter, le cerveau commandait la main, mais que la main seule paraissait productrice de marchandises. On discutera longtemps le fait de savoir si l'évolution de la main a permis celle du cerveau, ou celle du cerveau l'évolution de la main. Ce qui est certain, c'est qu'au moment où l'homme agit, dans l'instant présent, c'est son cerveau qui prévoit, commande et entretient l'action de la main. Il n'y a là aucun jugement de valeur, seulement constatation d'ordre chronologique. Le développement industriel nous fait assister à la diminution quantitative de l'action manuelle, plus souvent réalisée par les machines, et à l'augmentation de l'utilisation de l'intellect. Mais le plus souvent on peut encore dénommer le fonctionnement du cerveau, dans ce cas, un travail. En effet, il se borne à utiliser par apprentissage un acquis mémorisé et obéit à des réflexes conditionnés permettant à la fonction de l'interprète multilinguiste, de la dactylo, du comptable, de l'ingénieur, du médecin, du juriste, etc., du technicien en général, de s'exprimer.

Mais, par contre, est-il sûr que l'homme imaginant travaille? Ne réalise-t-il pas une activité ludique? Ne serait-il pas prêt à payer pour pouvoir réaliser sa fonction créatrice? En réalité, ne paie-t-il pas, et souvent très cher, sur le plan social, plutôt qu'il n'en est payé, le plaisir d'imaginer? De toute façon, si l'on considère la création de nouvelles structures, la création de nouvelles relations entre les éléments de l'ensemble des connaissances humaines comme un « travail », on voit combien il est dangereux de le confondre sans distinction particulière avec la fonction qui consiste à reproduire, intellectuellement ou manuellement, des relations déjà existantes que l'on ne fait que perpétuer. C'est sur cette confusion que l'on a pu réduire l'activité de l'homme imaginant (activité hautement informative, seule activité spécifiquement humaine permettant de distinguer l'espèce humaine des autres espèces animales, activité liée à des formations anatomo-physiologiques particulières: les régions associatives de son cortex), à son activité productrice d'outils ou de marchandises qui n'aurait jamais pu apparaître et surtout évoluer en l'absence de la précédente. Supposons que brusquement, aujourd'hui même, cette fonction disparaisse, le monde humain restera où il en est, même dans les pays où la propriété privée des moyens de production a été supprimée.

De toute façon, il sera sans doute possible de former *en grand nombre les découvreurs* dès lors que la créativité non seulement ne sera plus châtrée dès le départ, mais encore sera encouragée, dès lors qu'un environnement favorable à son éclosion sera créé. Or, nous avons dit que les découvreurs n'avaient peut-être pas le rôle que l'on serait logiquement tenté de leur accorder dans l'évolution humaine. Nous avons dit qu'ils n'étaient que les témoins prématurés des temps à venir. Qu'ils naissaient isolément à la conscience, noyés dans l'inconscience de leurs contemporains. Mais il n'en serait pas de même si ces découvreurs naissaient en grand nombre. La société qui aura compris l'intérêt de les susciter, celle qui mettra ses efforts à réaliser l'environnement favorable à leur éclosion, sera non seulement assurée de survivre, mais assurée de rendre la première un service capital à l'humanité. Le mécénat, qui tend à disparaître dans ces civilisations mercantiles, ne devrait plus être la qualité de quelques hommes épars au cours des siècles, mais une qualité des sociétés humaines dans leur ensemble. Ce sont les Etats, avant d'être l'humanité dans son ensemble, qui doivent dès aujourd'hui se « payer » l'environnement socio-économique permettant l'éclosion explosive des « découvreurs ».

XI

Aperçus thérapeutiques.

Quelle thérapeutique peut-on envisager d'un tel état de choses? En ce qui concerne le devenir du travail de l'individu, elle paraît consister d'abord à faire coïncider la finalité individuelle avec celle de l'ensemble social, ce qui exige la coïncidence avec ce dernier des finalités de tous les échelons d'organisation intermédiaires. C'est en cela que l'abolition des classes sociales apparaît nécessaire, car la coïncidence des finalités n'est pensable que dans une société sans classe. Nous parlons là sur le plan que nous avons appelé énergétique, celui du devenir du surtravail individuel. Mais cela n'est pas suffisant, car on ne voit pas comment l'individu sera capable d'apprécier cette coïncidence. N'est-ce pas ce manque d'appréciation qui a donné naissance à la bureaucratie stalinienne? L'appréciation est nécessaire au contrôle. Comment contrôler dans l'ignorance des structures? Nous en revenons à la diffusion généralisée de la notion de structure et de sa dynamique, la cybernétique, ainsi qu'à celle des grandes lois régissant les ensembles biologiques, lois établies sur des bases expérimentales. Qu'on ne dise pas que cette généralisation est impossible en pays capitaliste, ce n'est que partiellement vrai. La contestation s'est développée surtout en pays capitalistes, ce qui tendrait à prouver que les mass media et les réflexes conditionnés mis en œuvre par la bourgeoisie sont moins efficaces que la répression policière et l'endoctrinement unidimensionnel. La contestation est née d'intellectuels bourgeois et se propage aux masses laborieuses par leur intermédiaire, ce qui prouve encore que les masses sont inconscientes de la nature des répressions que leur imposent les structures. Les masses sont capables de se révolter mais pas de construire. L'imagination qui aboutit à la création de nouvelles structures, c'est-à-dire à la création de nouvelles relations entre les faits connus, exige la connaissance de ces faits. Elle exige la culture, non seulement celle des mots et des idées, mais une culture scientifique solide. Le premier désir du révolutionnaire devrait être de fournir à chaque individu une méthodologie de pensée et d'action et non pas une check-list à remplir avant l'envol. La société de demain sera le fait des découvreurs et des foules, mais non des foules isolées, ou des découvreurs isolés. Et elle se réalisera d'autant plus vite *que l'imagination créatrice deviendra une propriété du cerveau humain plus largement répandue*. Pour cela, il est indispensable de laisser les tempêtes germer dans les crânes, de les soumettre ensuite à l'expérimentation et de ne pas les enfermer pour longtemps dans le cadre devenu trop étroit de la pensée d'hommes qui furent géniaux il y a un siècle. Une société qui dit-on possède, actuellement vivants, quatre-vingt-quinze pour cent de découvreurs de tous les temps, est peut-être capable d'inventer aujourd'hui ses structures sociales de demain sur les bases qu'est en train de lui fournir la science, sans faire appel à chaque instant au culte de la personnalité des grands morts. La science vénère ses grands hommes, mais elle ne s'y soumet pas. Chaque fois qu'elle l'a fait, elle fut bloquée désespérément et parfois de façon catastrophique. Il est probable d'ailleurs que ces grands hommes eux-mêmes, s'ils le furent vraiment et s'ils revenaient aujourd'hui parmi nous, s'ils participaient au foisonnement furieux des connaissances, seraient les premiers à renier en grande partie leurs opinions anciennes, empiriques bien souvent, et valables pour une époque qui ne reviendra plus jamais. Pensons aux trois principes d'Aristote.

En ce qui concerne le contrôle de l'environnement humain, avouons que nous ne voyons pas de solution immédiate possible. Pour me faire mieux comprendre, je voudrais signaler un travail anglo-saxon récent dont la lecture m'a impressionné. Des chercheurs ont observé au téléobjectif *des groupes de singes* auxquels ils avaient préalablement implanté des électrodes dans diverses aires cérébrales. Ces animaux se trouvaient en liberté dans un espace clos, et l'électrogénèse de leurs aires cérébrales étaient enregistrée à distance. Il était aussi possible de les stimuler à distance. Très rapidement ces animaux se constituent en sociétés. Un chef apparaît qui soumet les autres animaux à son autorité, son autorité sexuelle d'abord, évidemment. Une hiérarchie s'établit ensuite progressivement parmi les autres et cette hiérarchie se trouve être liée au comportement. Elle est fonction de l'agressivité. Le chef est le plus *agressif*. D'autre part, cette agressivité est elle-même fonction de l'électrogénèse du *système limbique* et il fut possible, en stimulant les neurones de ce système, d'influencer la hiérarchie, c'est-à-dire de transformer en chefs des esclaves. La stimulation du *noyau caudé,* au contraire, diminue l'agressivité et provoque rapidement une régression de l'animal stimulé dans la hiérarchie. Mais le plus curieux est le fait suivant: les animaux, ayant à leur disposition des manettes permettant de stimuler eux-mêmes les aires cérébrales des autres singes, trouvent assez rapidement que la stimulation de son noyau caudé diminue l'agressivité du chef et le rétrograde dans la hiérarchie. Ils en usent largement dès que celui-ci devient trop dominateur.

Quand on compare la vie sociale de l'homme moderne avec celle de ses ancêtres du néolithique, on constate que certains moyens de fuite ou de lutte lui sont interdits. Quand deux animaux de la même espèce ou d'espèce différente entrent en compétition dans un environnement naturel, soit au sujet d'un territoire, soit au sujet d'une femelle, l'un d'eux finalement cède et s'éloigne: il s'agit d'une « entente mutuelle sur une réaction d'évitement » (« mutual avoidance », Stephan Boyden, 1969[1]). Le phénomène est courant chez le gorille (Schaller, 1963[2]). Quand les animaux ne peuvent s'éviter, quand ils sont en cage par exemple, la compétition se termine souvent par la mort de l'un d'eux ou par la soumission du vaincu. Une hiérarchie s'établit. Chez l'homme le même phénomène apparaît. Chez les tribus primitives « l'évitement mutuel » était encore possible et les allées et venues d'individus ou de groupes sont toujours observables chez les Boshimans (Thomas, 1959[3]). Il est devenu impossible dans nos sociétés modernes. Les lieux de travail variés et la maison familiale sont des lieux de réunion entre individus où la promiscuité est inévitable et où la dépendance économique crée des liens de soumission qui rendent impraticable la « réaction d'évitement

[1] Stephen Boyden (1969): The impact of civilisation on human biology. Aust. J. exp. Biol. Med. Sci., *47*, 3: 299-304.

[2] Schaller G. (1963): The mountain Gorilla. University Press, Chicago.

[3] Thomas E.M. (1959): The harmless People. Secker and Warburg, London.

mutuel ». Il s'agit d'une cage analogue à celle où l'on peut enfermer deux gorilles. Les rapports de production ne sont pas les seules bases antagonistes capables de survenir dans ce cas et l'odeur de l'haleine peut être elle-même une raison d'« évitement mutuel ».

Dans la fuite ou la lutte, réponses biologiques simplifiées d'un organisme vivant à son environnement, réponses auxquelles l'homme lui-même ne peut se soustraire, tout un remaniement de l'équilibre biologique survient. Nous l'avons schématisé dans plusieurs ouvrages (H. Laborit, 1954, 1963, 1968[1]). Il trouve sa finalité dans l'autocinèse, c'est-à-dire la possibilité de déplacement par rapport au milieu, qui met en jeu le système neuro-musculaire et dont le résultat est la disparition, par l'éloignement ou par la suppression, de la variation de l'environnement incompatible avec la survie. Chez l'homme moderne, une telle autocinèse est devenue impossible et les perturbations biologiques qui en sont le support deviennent inefficaces et inutiles, bien que toujours là. Ce n'est plus l'ours que l'homme trouve à la sortie de sa caverne moderne, mais le patron, le supérieur hiérarchique, les lois sociales, les rapports de production, l' « autre » sous toutes ses formes. Or cet autre, il n'est plus question pour lui de le fuir ou de le combattre ouvertement. Et le déséquilibre biologique inutile s'exprime alors par toutes les affections, particulièrement vaso-motrices, de l'homme contemporain, depuis l'hypertension jusqu'aux ulcères gastriques et aux infarctus du myocarde. La réaction biologique au milieu, essentiellement

[1] H. Laborit: « Résistance et soumission en physio-biologie », « L'hibernation artificielle », Masson et Cie, 1954. « Du soleil à l'Homme », Masson et Cie, 1963. « Biologie et Structure », Gallimard, collection « Idées » 1968.

vaso-motrice et endocrinienne dans son expression, neuro-psychovégétative dans son origine, réaction biologique ne trouvant plus sa résolution dans la fuite ou la lutte, se transforme en maladie psychosomatique. A moins qu'elle ne trouve en partie sa solution collective dans l'action de groupe: syndicats, partis politiques, groupements culturels, et même activité sportive. La disparition de l'aliénation économique de l'individu est certes capable d'améliorer cet état de choses, il ne le fera pas disparaître, car l'« autre » existe en tant qu'individu biologique, élément dominateur assurant sa propre survie et celle de l'espèce. Aussi longtemps que les hommes n'auront pas pris conscience de leur déterminisme biologique et croiront à leur liberté, il y a peu de chance que cela change. Il faut, pour que cela change, que chaque homme prenne d'abord conscience de son animalité, de ce qui le lie à la vie dans son ensemble, aux autres espèces animales. Peut-être alors sera-t-il capable de dépasser son conditionnement biologique.

On objectera que le singe n'est pas l'homme. On est malheureusement obligé de constater que le paléocéphale humain, celui de l'agressivité, est semblable à celui du singe, et que tout homme a dans son cerveau un grand anthropoïde qui sommeille. Il faut reconnaître avec regret que dans la vie journalière, ce sommeil est de courte durée et que c'est ce grand anthropoïde qui guide, sous le déguisement trompeur des mots et du discours logique, la majorité de nos actes et de nos comportements. Alors que le singe est singe, qu'il assume entièrement sa destinée de singe, l'homme camoufle inconsciemment, car il ne s'en rend pas compte lui-même, le singe qu'il abrite dans son paléocéphale. On a dit souvent que l'homme était un loup pour l'homme. C'est être trop optimiste, car dans la meute, quand l'agressivité de deux mâles s'oppose en combat singulier, le vaincu renversé tend au vainqueur sa gorge où monte la carotide, et jamais le vainqueur ne la déchire de ses crocs. Emporté par ses jugements de valeur, son paléocéphale déchaîné par les mots, l'homme assassine sans remords et sans pitié.

Cet *environnement humain*, cette vie en société que les espèces inférieures ont résolu souvent avec simplicité, *l'homme moderne ne sait plus la contrôler*. En effet, cet environnement se dilue dans l'irresponsabilité des pressions sociales sans visage, ou se personnifie au contraire dans un mot, capable ensuite de déchaîner toute l'agressivité insatisfaite. Après avoir cru pendant des siècles que tout était en lui, qu'il était l'unique responsable de ses actes, après avoir cru à *son libre arbitre*, on a voulu plus récemment nous faire croire que tout était dans le milieu, venait de *l'environnement* qui fut rendu seul responsable des malheurs de l'individu dans une société imparfaite. Là encore, la cybernétique nous apprend que le perpétuel échange d'informations et d'actions entre l'individu et le milieu fait de cette dualité un ensemble indissociable et qu'en réalité une société représente un ensemble d'individus, mais qui ne sont tels que parce que réunis. Peut-être le système limbique de l'homme présente-t-il une prépondérance fonctionnelle fréquente sur son noyau caudé, du fait même que le discours logique et les interdits sociaux véhiculés par le langage lui laissent moins la possibilité de s'exprimer en actes. Nous retrouvons Freud et ses disciples. Alors, si nous voulons tenter une approche thérapeutique de ce problème capital, nous ne pouvons faire appel aujourd'hui qu'à deux solutions semble-t-il. La solution *pharmacologique* et *l'éducative.* Mais entendons-nous bien, l'éducation ne consisterait pas bien sûr à allonger la liste des interdits et à améliorer le conditionnement. Elle consisterait au contraire *à faire prendre conscience, dès l'enfance, de ce conditionnement, à rayer le mot de liberté du langage courant, à reconnaître comme réalité intégrante de notre être ces pulsions que la société refoule au plus profond de nos rêves et qui ne trouvent plus que ces derniers, dans leur phase paradoxale, pour s'exprimer.* « Manhood of Humanity. » Korzybski l'avait encore imaginée trop tôt. L'Humanité n'a pas encore atteint l'âge d'homme.

XII

Le phénomène humain et la notion de liberté.

Il apparaît que dans « l'effecteur » homme, il est impossible d'envisager uniquement ce que nous avons appelé l'aspect énergétique (bien que tout soit énergie), celui de son travail. Cet aspect est le phénomène essentiel dans certaines sociétés animales, les sociétés d'insectes par exemple, à tel point que l'on peut se poser la question de savoir où est l'organisme: est-ce l'abeille, est-ce la ruche? Or là, semble-t-il, pas de conflit. Si nous considérons l'abeille en tant qu'individu, elle fonctionne de la même façon qu'une cellule d'un organisme évolué, avec sa spécialisation qui concourt à la survie de l'ensemble. C'est nous, qui par nos jugements de valeur, attribuons notre hiérarchie à la ruche, en y distinguant des ouvrières, une reine, etc. On pourrait aussi bien dire, des membres, un ovaire. La hiérarchie n'existe que parce qu'elle est vue à travers notre système limbique humain, qu'elle s'y colore de l'instinct de domination qu'il contient, base des jugements de valeur, source des hiérarchies. Or, il est curieux de constater que dans la ruche, si chaque individu concourt à la survie de l'ensemble, un seul est chargé de la reproduction de l'espèce. Chez l'homme malheureusement, chacun de nous en est également chargé. Il en va de même dans la plupart des autres espèces animales et nous avons vu que cette fonction est ordonnancée par le comportement agressif et le système limbique. Voici donc, à l'inverse de ce qui se passe dans les sociétés d'insectes, deux finalités réunies en un seul individu: le travail assurant ses approvisionnements matériels et ceux de ses proches et la reproduction participant à la survie de l'espèce. Avec cette dernière apparaissent l'agressivité et le besoin de dominer. Jusque-là, rien ne nous distingue encore des comportements animaux, ceux des mammifères en particulier.

Avec l'homme et le langage, apparaît la conscience des faits, conscience très imparfaite, souvent obscurcie par les réflexes conditionnés, les jugements de valeur, mais conscience tout de même; avec les langages, la mémorisation des expériences acquises au cours des générations; grâce à la mémoire et grâce à des systèmes associatifs plus développés que chez les autres animaux, peut naître enfin l'imagination créatrice. Qu'a fait l'homme de tout cela sur le plan sociologique? Il a tenté de contrôler son environnement, et pas seulement son environnement matériel, mais aussi son environnement humain. Et c'est ainsi qu'à travers les âges, les écologies, des civilisations sont nées, des rapports interhumains se sont organisés, des solutions fondées sur la domination des individus ou des groupes ont été trouvées.

Mais avec l'homme est apparu l'outil. Or, avec la civilisation industrielle et le travail en miettes, l'outil n'est pas resté la propriété de l'individu comme cela fut le cas pour l'artisan. L'outil est devenu la possession de quelques privilégiés qui tiennent en leur pouvoir les possibilités de travail du plus grand nombre. Avec le marxisme enfin, l'homme a compris que si son travail en miettes n'avait plus grande signification, ni force par lui-même, par contre l'ensemble du travail humain pouvait être une force de pression considérable, tout en représentant une des finalités essentielles des sociétés. D'où la nécessité du groupement de tous ceux ne jouissant pas de la propriété des moyens de production, outils et capital.

Tout cela est nécessaire à rappeler si l'on veut comprendre que toute solution sociologique n'envisageant l'homme que sous l'aspect que nous avons appelé « énergétique » a bien des chances d'être vouée à l'échec. Or, dans l'ignorance où nous étions encore récemment des mécanismes centraux de la prise de conscience, comme de nos déterminismes subconscients, endocrino-végétatifs, il était évident que, aspect fondamental pour les sociétés humaines, les rapports interhumains psycho-biologiques devaient être passés sous silence ou pour le moins mal interprétés. La preuve en est que le matérialisme marxiste, doctrine du déterminisme s'il en fût, accorde à l'homme la liberté: la liberté de choix, celle d'engagement. Il y a là une contradiction fondamentale. Elle résulte de ce que l'homme est *inconscient de son inconscient, inconscient de ses déterminismes génétiques, biologiques, sémantiques, de classe, etc. Le fait d'ignorer ses déterminismes fait qu'il leur obéit en croyant être libre.* Comment, dans l'ignorance de l'infinie complexité des mécanismes cérébraux, pouvait-il en être autrement? D'où la dichotonie première de la pensée et de la matière, la naissance et l'opposition du spiritualisme et du matérialisme. Mais, aussi étonnant que cela puisse paraître, les matérialistes contemporains sont également, pour le biologiste, des idéalistes impénitents, dès que l'on pénètre dans le domaine de la pensée humaine, des rapports interhumains. D'où encore l'isolement, le traitement à part des phénomènes socio-économiques déterminés, du déterminisme historique, sur lequel l'homme, spirituellement non déterminé, pourrait agir. Il semble que le socialisme sous ses formes multiples n'ait pas encore sauté ce pas. Or, comment, si l'on continue à se fermer les yeux devant le déterminisme de fonctionnement du cerveau humain, peut-on faire la part de ce qui n'est qu'expression de notre dépendance étroite, bien qu'inconsciente, au monde de la matière et d'autre part de ce qui est proprement humain, notre *faculté d'imagination?*

Ce qui distingue profondément les sociétés humaines des sociétés animales les plus évoluées, ce n'est pas l'aspect énergétique, ce n'est pas leur travail, même avec la puissance intermédiaire de l'outil; ce n'est pas non plus une liberté individuelle permettant à l'homme d'agir sur le monde matériel, si l'on comprend sous le terme de liberté la notion de libre arbitre, mais *un déterminisme d'un niveau d'organisation supérieur, celui de l'imagination.* La presque totalité de ce que nous appelons notre pensée n'est que l'expression de nos déterminismes. Si nous persistons à ignorer cette notion fondamentale, nous resterons enfermés dans les vérités innombrables que chacun de nous croit détenir. Ce faisant, nous classerons inconsciemment nos déterminismes et les opposerons entre eux, guidés par nos intérêts divergents, alors que l'inconscience règne dans toutes les classes sociales.

En résumé, si l'individu, par son travail, peut en partie contrôler ses besoins essentiels, son milieu matériel, il ne peut plus, par ignorance, contrôler l'emploi de son travail, qui lui échappe. Enfin et surtout, à côté de son environnement matériel, il existe un environnement humain qu'il est également incapable de contrôler. Il en est d'autant moins capable en effet, qu'inconscient de ses déterminismes, il se croit libre et autorisé à étendre cette propriété aux autres hommes de son époque. Si, exceptionnellement, il est conscient des déterminismes psychobiologiques, comme il ignore leur mécanisme, il soutient une contradiction en pensant les influencer par son action sur les classes sociales, parce que cette action ne peut être elle-même que déterminée.

Ainsi, il ne suffira pas de supprimer le capitalisme et l'impérialisme pour libérer l'homme, car on ne le libérera pas pour autant du déterminisme de sa pensée et de ses comportements. Nous avons déjà vu dans ce cas la difficulté que l'on rencontre à le rendre responsable même de son seul destin matériel. L'ignorance des régulations qui relient l'individu aux différents échelons d'organisation des sociétés et ces échelons entre eux serait la première chose à supprimer, la plus urgente. Mais même dans ce cas l'environnement humain de l'homme demeurera, incontrôlable, omniprésent à l'homme social, perpétuellement opprimé par les autres, en dehors de toutes les classes, du seul fait qu'ils sont les autres et obéissent à leurs déterminismes individuels et différents. Les animaux, qui n'ont pas inventé l'outil ni les moyens de travail ni leur confiscation au profit d'une classe, se soumettent bon gré mal gré aux plus agressifs. L'homme, inconscient de son déterminisme psycho-biologique, se révolte par bouffées, quand l'oppression de la vie en commun n'est plus supportable. Il croit, il espère pouvoir libérer sa force de travail de l'oppression capitaliste, sans comprendre que le capitaliste n'est détenteur des moyens de production qu'en fonction de son agressivité victorieuse. Quoi d'étonnant qu'ayant supprimé la propriété privée de ces moyens de production on s'aperçoive que d'autres oppresseurs surgissent, alors que nous ne pouvons pas exciter leur noyau caudé, comme les singes de l'expérience le font.

La notion de liberté ne résulte que de l'ignorance des déterminismes. Elle se rétrécit comme une peau de chagrin à mesure que nos connaissances s'élargissent. C'est elle qui a brusquement envahi le champ de conscience des premiers hommes. Le déterministe scientiste de la fin du XIXe siècle, la raison raisonnante ne l'ont pas entamée, du fait de bases scientifiques encore insuffisantes. La physique et les mathématiques contemporaines, la cybernétique ont heureusement modifié notre conception d'un déterminisme étroit de causalité qui n'était pas capable d'expliquer les faits observés. La relativité, le coefficient d'incertitude ont fait croître notre humilité et notre admiration pour cette mécanique étonnante de l'univers. Notre connaissance de ce dernier s'accroît en fonction inverse de notre conception sur l'étendue de notre liberté. On peut concevoir celle-ci comme l'interprétation que nous donnons de l'action de la boucle du servo-mécanisme venant asservir un régulateur. Le régulateur serait constitué par l'ensemble des connaissances scientifiques que l'homme a établies de l'univers, où ce qui est abandonné au hasard n'est que le déterminisme que l'on ignore. Le niveau d'organisation sus-jacent, hors de notre entendement, répond à des lois qui restent à découvrir. Il agit sur ce régulateur d'une manière qui nous échappe et nous l'appelons du beau nom de Liberté. Mais cette liberté nous la grignotons doucement au cours des siècles, et il est probable que le jour où nous l'aurons entièrement consommée, nous nous retrouverons en face de Dieu. Dieu pourrait être ce dernier niveau d'organisation englobant tous les autres, une sorte de conscience de l'univers pour laquelle ni le temps ni l'espace n'auraient de sens puisque la première notion n'a de sens que pour qui se déplace dans la seconde. Dans cette conscience tout est alors déterminé, la conscience humaine faisant partie de ce tout.

La chance de l'homme parmi les autres formes qu'a pris la vie sur notre terre est de pouvoir manipuler les éléments qui constituent l'ensemble de nos connaissances, de telle façon que de nouvelles relations surgissent, que de nouvelles formes prennent naissance. Nous devons être reconnaissants envers le déterminisme de l'évolution de nous avoir dotés de systèmes associatifs exceptionnels et nécessaires à l'apparition de l'imagination. Or, au lieu de vénérer cette imagination créatrice de formes nouvelles dont il ne reste plus alors qu'à vérifier l'efficacité et la conformité au monde par l'étude expérimentale, les sociétés ont toujours tenté de l'étouffer, de la réduire au silence. Elle seule est capable de nous rendre conscients des mécanismes, c'est-à-dire de nos déterminismes. Elle seule est ainsi capable de réduire le contenu de notre liberté en favorisant notre efficacité. Elle fut la clef du contrôle progressif de notre environnement matériel, comme elle peut encore être la clef du contrôle de notre environnement humain. *C'est par la connaissance toujours plus approfondie des bases physico-chimiques de notre comportement, que nous saurons de mieux en mieux en assurer le contrôle et donc, dans un certain sens, nous en libérer.* Les Gaulois étaient assujettis au ciel d'orage contre lequel, dans leur ignorance, ils tiraient leurs flèches, comme nous sommes encore assujettis aux déterminismes socio-économiques de nos comportements contre lesquels nous bandons les arcs puérils de nos idéologies.

Et pour confirmer cette assertion que l'imagination créatrice est bien le fondement de l'évolution humaine, rappelons que cette évolution fut comptabilisée par quelques hommes, que nous appelons ici les découvreurs, dont la seule qualité fut d'avoir été capables d'imaginer des formes nouvelles, d'avoir été capables, en d'autres termes, de réduire notre liberté, tout en accroissant notre connaissance. En effet, mieux connaître un mécanisme ne veut pas dire pour autant qu'on s'en libère, mais signifie qu'on devient capable de l'utiliser, c'est-à-dire d'en assurer le contrôle en faveur d'un niveau supérieur d'organisation pour nous mesurer avec un autre déterminisme d'un ordre supérieur de complexité. L'astronautique ne nous a pas libérés des lois de la gravitation, comme on le dit souvent, mais nous permet aujourd'hui d'utiliser ces lois différemment au service de l'homme.

Quand une notion devient évidente, c'est le moment de commencer à se méfier de son approximation, voire de son inexactitude. La science n'est qu'approximation progressive. Les certitudes définitives ne sont que l'expression de l'ignorance.

Science et technocratie.

Economistes et sociologues contemporains ont eu le mérite d'analyser de nombreux mécanismes de l'aspect « énergétique » de l'homme. Cet énorme travail a été fort utile, mais il débouche sur des sous-ensembles et ne peut aborder efficacement le problème de ce qui revient au comportement individuel et social qu'en le considérant entièrement déterminé par avance. L'édifice s'écroule si l'on y introduit l'aléatoire d'une conduite humaine à laquelle participerait même une parcelle de libre arbitre. Economistes et sociologues, capitalistes ou socialistes, ne peuvent croire à leur discipline qu'en admettant implicitement un déterminisme quasi total de l'individu. Comment dans ce cas parler d'une recherche du plein épanouissement de celui-ci dans une société future? Cet épanouissement implique l'entrée en jeu, dans l'étude socio-économique, de l'aléatoire et transforme en conséquence son statut scientifique. Ainsi, le plus spiritualiste des sociologues est-il conduit à travailler comme le plus matérialiste d'entre eux.

Mais ce curieux animal qu'est l'homme, matérialistes ou spiritualistes ont autant de difficulté à le faire entrer dans les limites de leurs épures, à telle enseigne que le spiritualiste est fréquemment pris en mal de déterminisme et le matérialiste en défaut de spiritualisme inconscient. N'est-ce pas parce que ces mots ne recouvrent que nos désirs de ce que nous voudrions que soit l'homme plus que ce qu'il est effectivement. Comment parler sérieusement de ce qu'« est » l'homme? Si l'économie et la sociologie contemporaines ont pu faire quelques progrès, c'est bien parce que l'homme est déterminé et susceptible en ce sens d'une étude scientifique. Si leurs conclusions sont fréquemment inexactes, inefficaces, erronées, c'est sans doute par la difficulté d'application de la méthode expérimentale. C'est peut-être parce qu'un facteur essentiel dans l'élaboration du résultat a été négligé. Le déterminisme de son travail et depuis peu le déterminisme de son comportement ne devraient laisser qu'une marge de plus en plus réduite à l'incertitude. Nous sommes loin de connaître l'ensemble des facteurs de ces deux déterminismes. La technocratie est capable d'aménager les sous-ensembles. Son travail risque d'être réduit à néant par la rigueur des événements si un élément essentiel est oublié dans le modèle sémantique qu'elle construit.

Or, à notre avis, cet élément essentiel, ce n'est pas la liberté humaine, dont nous avons dit ce que nous en pensions, mais l'*imagination créatrice*. Non que celle-ci ne soit pas déterminée, mais elle l'est à un niveau d'organisation que nous ignorons encore. C'est elle qui perturbe essentiellement les prévisions les plus cohérentes des analystes modernes. Déterminée elle l'est, car on ne peut imaginer, c'est-à-dire créer, des formes, des ensembles nouveaux, sans en avoir accumulé auparavant les éléments. La création est une cueillette jamais terminée d'informations multiples. Plus est riche l'ensemble informationnel, plus on aura de chance d'augmenter la fréquence de la création de structures nouvelles. L'enfant qui vient de naître, réduit à ses informations génétiques, ne créera rien. La découverte est d'abord un lent et douloureux effort de collecte informationnelle.

Cette collecte au lieu d'être additive ne peut-elle s'introduire dans une structure mentale ouverte, capable d'un perpétuel remaniement, donnant à chaque nouvel élément acquis une place précise en relation avec tous les autres déjà expériencés? Ne peut-elle être interdisciplinaire et si elle ne veut pas aboutir au chaos, rechercher les complémentarités et les intersections, dont naîtront les nouveaux ensembles de relations qui caractériseront les découvertes originales? Ne doit-elle pas craindre la rigidité des structures mentales, au moment de l'adolescence et au début de l'âge d'homme, époque critique où devant la multiplicité, le torrent bouillonnant des informations, l'esprit cherche une doctrine pour les structurer? Quand l'une d'entre elles s'offre sous une apparente simplicité, surtout si elle s'accorde avec le logos et se soucie peu des faits scientifiques ou du moins les appréhende à un niveau d'organisation suffisamment grossier pour être compréhensible à chacun, elle risque d'être adoptée avec passion. Elle offre un tel bien-être intellectuel, une telle harmonie dans le chaos des événements, qu'elle est acceptée aussitôt comme une loi, sans chercher à tester son efficacité même théorique à un niveau d'organisation plus complexe.

La création est déterminée, car la collecte des informations indispensables l'est aussi. Elle l'est par l'affectivité avec ses facteurs multiples, par le déterminisme génétique, sémantique et personnel de l'individu, qui tentera de trouver dans les choses ce qu'il attend d'elles, ce que le déterminisme de ses désirs lui laisse espérer. Mais dans le mélange et l'association créatrice des informations accumulées, elle l'est encore, car le mélange informationnel d'où naissent les structures nouvelles n'est pas livré au hasard. Nous ne pouvons, dans l'état actuel de nos connaissances, que soupçonner ses facteurs, toujours les mêmes, génétiques, sémantiques, personnels, de classe, sans pouvoir les préciser. Ainsi, ce qui paraît être le caractère fondamental de l'esprit humain, la structuration originale des informations, ce caractère même est déterminé, bien que le mécanisme précis de ce déterminisme nous échappe en partie.

Nous retirons de cet ensemble de notions quelques idées nécessaires à l'action: la première est que, au sein du déterminisme universel, un long effort, un lent travail sont nécessaires et que le génie ne naît pas de l'improvisation. Il naît d'abord d'un dur labeur, d'un entraînement intensif. Comment avez-vous trouvé les lois de la gravitation? demandait-on à Newton. « En y pensant toujours », répondit-il. L'effort est la base essentielle de la création. Mais faut-il encore l'organiser, l'ordonner, le rendre conscient.

Alors, dès que la création originale apparaît, du fait même qu'elle surgit d'un déterminisme que nous ignorons encore, elle brouille les conclusions tirées, même sur ordinateur, des déterminismes que nous connaissons. C'est l'invention sous toutes ses formes qui vient perturber les théories, les idéologies, les plans, les carcans multiples que l'homme social inflige à son destin. Il veut tout contrôler, mais il ne peut contrôler le déterminisme de l'imagination créatrice. Ainsi, dans ce monde « absurde » où, quelle que soit son idéologie, s'il veut agir, donc prévoir, il ne peut le faire qu'en se basant sur un déterminisme généralisé, il commence par ignorer le déterminisme biologique des comportements. Il n'envisage le plus souvent que l'aspect énergétique de l'homme et des sociétés, en négligeant l'aspect fondamental des comportements interhumains. Parviendrait-il au contrôle de ces derniers ou en prendrait-il conscience de façon à les situer comme une variable indépendante qu'il resterait encore cette part de l'invention, de la solution neuve à des problèmes anciens.

Le technocrate aménage le connu. La science aménage le pas encore connu pour le donner en pâture au technocrate dont les prévisions s'en trouvent bouleversées. Les sondages d'opinion, enfants de l'informatique, furent guidés au début par le désir de violer le futur et la recherche d'une information susceptible de guider l'action. On s'aperçoit après coup qu'elles peuvent elles-même, par la diffusion de leurs résultats, influencer l'opinion que l'on voulait connaître: feed-backs perpétuels, rétroactions prévisibles mais dont on ne tient pas compte au début. Tant que nous ferons exclusivement crédit, dans notre monde moderne, soit à la puissance affective, à la révolte inconsciente des masses, soit à l'apparente rigueur des techniques, et que nous ignorerons la participation fondamentale de l'imagination créatrice à l'évolution humaine, nous enfermerons cette évolution dans le déterminisme des faits connus, en refusant de l'ouvrir à celui des faits que nous ne connaissons pas encore et dans l'ignorance desquels les précédents ne peuvent être évolutifs et efficacement contrôlés.

L'imagination créatrice des individus qui les composent est la seule caractéristique qui distingue les sociétés humaines des sociétés animales, puisque même aux origines, c'est elle qui a permis la découverte de l'outil. Si nous voulons échanger notre civilisation du travail, du mercantilisme et du profit, où règnent les dominations des désirs les plus primitifs des hommes, contre une civilisation répondant à une finalité de l'espèce qui n'a jamais été prise en considération que de façon allégorique, la fonction généralisée de l'imagination créatrice, en d'autres termes contre une civilisation que nous pourrions appeler de la connaissance en marche, il faut faire entrer ce facteur dans l'équation nouvelle. La révolution ne consiste pas seulement à briser les matériaux dont s'est entourée la société d'une époque dans un environnement écologique particulier; elle ne consiste pas seulement non plus à briser les rapports de production et les structures sociales de cette société. Elle consiste avant tout à briser les structures mentales, toutes les structures mentales existantes. Comment y parvenir si l'on ne résout pas la question du dehors, c'est-à-dire si l'on ne montre pas la possibilité d'existence de structures mentales nouvelles englobant les précédentes, comme la relativité a englobé la gravitation, comme la géométrie euclidienne est devenue un sous-ensemble de la géométrie tout court?

Peut-être est-il nécessaire de briser l'environnement pour agir sur des structures mentales qui se maintiennent grâce à lui. Vieille notion du cercle vicieux qu'on ne sait par quel bout prendre puisqu'il n'en a pas, tant et si bien qu'on ne peut faire autrement que commencer par le briser. Est-il sûr que dans le désordre de l'environnement qui en résulte, l'homme puisse trouver en lui la boussole qui orientera sa destinée vers un monde meilleur, alors qu'il reste aveugle à cet « en-lui »?

XIII

Et le tiers-monde?

Tout ce que nous avons écrit jusqu'ici peut s'appliquer, aux hommes et aux nations industrialisées. Mais déjà entre elles apparaît, au niveau d'organisation des Etats, des compétitions du même type que celles décrites précédemment. Et, cependant, il ne semble pas erroné de dire qu'entre les individus d'une même classe, mais de nations différentes, existe une solidarité qui n'existe pas entre deux individus de classe différente et de même pays. Le capitalisme, comme le prolétariat, tend à s'internationaliser. Le capitalisme étant basé sur la notion de profit, des antagonismes qui n'existent pas dans le prolétariat international ont pris naissance pour la conquête des marchés. C'est entre les « Etats » socialistes que d'autres antagonismes sont apparus, motivés par le désir de domination du tiers-monde, le maintien en place des bureaucraties nationales, etc. Mais à vrai dire pas entre les classes prolétariennes de ces Etats, car elles n'ont rien à détruire et rien à perdre. Du fait que leur capacité de production n'avait pas été affectée par la guerre, le capitalisme des Etats-Unis a pu dominer le monde à la fin de la dernière guerre tandis que les pays d'Europe occidentale voyaient leurs moyens de production vieillis ou entièrement détruits. Les taux de changes furent particulièrement favorables au dollar, et les exportations européennes ne pouvaient pas inquiéter les concurrents américains. Ce fut une raison pour les capitalistes américains d'investir en Europe où la force de travail coûtait moins cher. Le résultat en fut l'expulsion progressive de la bourgeoisie européenne des secteurs de production qu'elle contrôlait auparavant et cela en faveur de la bourgeoisie américaine. Or, avec la renaissance des forces de production européenne depuis la guerre, la productivité a retrouvé un haut niveau. Les salaires ont augmenté et les avantages de l'investissement du dollar à l'étranger a diminué. Mais ces investissements n'ont pas été réellement payés puisque avec le système monétaire international actuel, le dollar, monnaie nationale, est également un moyen de paiement international. Il est équivalent à l'or. Les Américains ayant continué à investir à l'étranger, les pays où ils investissent accumulent des dollars, ce qui a conduit au déficit de la balance des paiements américaine. Les journaux nous ont depuis plusieurs années mis au courant du problème et l'on sait le scandale créé par la France en réclamant l'échange contre de l'or de ses dollars. Ainsi, l'amélioration de la production européenne, du fait de ce système monétaire international, conduit la bourgeoisie européenne à alimenter en partie la bourgeoisie des U.S.A. Ayant retrouvé une nouvelle prospérité, la bourgeoisie européenne ne peut plus admettre une telle spoliation constante de ses intérêts. La contradiction fondamentale des pays capitalistes industrialisés résulte donc des nouveaux rapports de force qui se sont établis entre les Etats-Unis et les autres pays industrialisés.

Malheureusement pour la bourgeoisie européenne, la concentration extraordinaire des industries aux U.S.A. permet à ces dernières des investissements importants dans la recherche fondamentale, ce que la dispersion et la faible taille des industries européennes ne permettent pas. En effet, la recherche fondamentale coûte cher et n'est pas obligatoirement et immédiatement rentable, et les industriels européens préfèrent souvent une politique de profit à courte vue, si l'on excepte quelques grandes firmes de classe internationale. Il en résulte que beaucoup d'industries européennes exploitent des brevets américains et se trouvent sous la dépendance de ces derniers. La question revêt une importance toute particulière quand l'industrie est nécessaire à l'évolution technique d'une part et à l'indépendance politique d'autre part d'une nation. On l'a vu récemment avec l'obligation pour la France de créer son informatique, son industrie spatiale en vue des télécommunications, etc. Il y a là un moyen puissant de pression internationale, de contrainte et donc d'aliénation aux intérêts et à la politique d'une nation et finalement d'une classe, la bourgeoisie américaine.

Il semblerait donc que le rôle de l'Etat soit moins d'apporter son aide à la survie momentanée d'industries mourantes pour leur permettre de faire encore pendant quelques années leurs derniers profits, mais d'entretenir une recherche fondamentale ou de la créer quand elle n'existe pas. Mais si l'état d'esprit que celle-ci nécessite est bien la rentabilité, c'est-à-dire le désir dominant d'aboutir à la découverte et non de faire carrière dans la recherche pour émarger au budget de l'Etat, de se fonctionnariser en quelque sorte, cette rentabilité est d'une nature différente de celle qu'elle revêt dans l'industrie. La recherche fondamentale cherche à établir des lois, la recherche appliquée à faire des objets qui se vendent et se consomment. Il faut établir un lien qui n'est pas toujours évident entre l'application industrielle d'une découverte fondamentale et cette découverte elle-même. C'est là que s'insère le technicien, ou les techniciens de disciplines variées, car l'inexploitation de certaines découvertes fondamentales vient souvent du fait que leur application est possible dans des orientations où elles ne sont pas évidentes de prime abord. Un pays comme la Suède semble avoir compris l'importance de la recherche fondamentale, en particulier dans le domaine de la biologie. Mais de toute façon, n'envisager la recherche que comme moyen d'évolution de l'industrie, c'est la détourner de sa destinée première, se mettre délibérément en marge de l'évolution. C'est aussi faire un mauvais calcul car le développement de procédés techniques, donc commercialisables, ne peut avoir comme source que l'enrichissement de notre connaissance des grandes lois qui gouvernent l'Univers.

L'impérialisme américain n'a par contre trouvé aucune bourgeoisie nombreuse, jalouse ou technicisée, dans les pays sous-développés. Elle a pu s'attacher facilement ces bourgeoisies moyenâgeuses en les faisant participer aux bénéfices. Le peu de technicité et les salaires particulièrement bas dans ces pays procurent un bénéfice considérable. Le problème dans ces pays réside donc le plus souvent dans la lutte entre leur prolétariat misérable et la bourgeoisie américaine ou ses représentants locaux. Alors que dans les pays industrialisés, l'exploitation économique du prolétariat par la bourgeoisie paraît être un problème qui s'efface en partie devant celui de l'abandon de son propre destin aux directives de la classe dominante, dans les peuples sous-développés, c'est l'exploitation même du travail humain au bénéfice de la bourgeoisie locale et internationale, c'est l'esclavage en d'autres termes, qu'il reste encore à faire disparaître. Nous n'avons nullement l'intention, ni les possibilités, de pénétrer plus avant au sein de problèmes multiples et complexes qui ont fait l'objet depuis quelques années d'études étendues et approfondies. Nous ne les avons abordés que pour les situer dans le contexte des pages précédentes.

Sans doute les caractéristiques écologiques revêtent-elles une importance considérable et ce n'est sans doute pas un hasard si la technicité s'est développée dans les régions terrestres tempérées. Mais on ne peut s'empêcher d'imaginer un monde qui ne serait pas uniquement guidé par le profit et dans lequel les pays ayant acquis pour une grande partie de leurs habitants un haut niveau de technicité et de bien-être matériel prendraient en charge l'évolution des peuples sous-développés comme s'il s'agissait de leur propre évolution, mais dans des conditions écologiques différentes et sans chercher d'abord à accroître leurs bénéfices ou à imposer un système qui a pu être efficace ici, sans pour autant devoir être efficace là de la même façon. Alors qu'il est déjà difficile d'imaginer pour soi-même, on comprend combien il est plus ardu d'imaginer pour les autres. D'autant que les bonnes paroles ne suffisent pas. Il faut aussi relever ses manches, se heurter à des habitudes tribales ancrées depuis des millénaires, restructurer des systèmes nerveux, se livrer à un effort éducatif considérable, convaincre sans imposer, montrer de la fermeté sans dureté, enseignant, se mettre à la place de l'enseigné et suivre avec lui sa lente évolution vers plus de conscience et d'efficacité.

Il est peu probable que ce qui a fait le succès des grands pays modernes, la création d'une industrie lourde, soit l'étape nécessaire à faire parcourir à l'ensemble de ces peuples sous-développés. Ce qui fut nécessaire aux uns pour ne pas subir l'hégémonie des autres pourrait ne plus l'être si les nations voulaient bien abandonner leur désir d'hégémonie. Ce qui fut nécessaire à des groupes humains dont l'écologie était fort semblable pour assurer l'exploitation de leurs environnements analogues, et en conséquence leur indépendance à l'égard de peuples dont les facteurs de développement étaient comparables, pourrait ne plus être indispensable au développement de beaucoup de peuples sous-développés à la condition que leur indépendance n'en soit pas altérée à l'égard des peuples riches et des classes possédantes de ces derniers. Plutôt que de tenter de faire construire les machines-outils nécessaires à leur essor économique par des peuples tropicaux ou équatoriaux, ne serait-il pas préférable de les leur fournir ces outils, à condition de payer correctement leur production nationale sur les marchés internationaux? Bien entendu, cela implique, dans l'état actuel des choses, la dépendance complète de ces pays à l'égard des pays industrialisés, et compte tenu de l'esprit de domination qui persiste entre les diverses individualités nationales, c'est une solution qui aboutira vite à l'exploitation plus ou moins camouflée des premiers par les seconds. Et, cependant, n'est-ce pas un tel avenir qu'il faut souhaiter? Un avenir dans lequel l'humanité constituerait un grand corps aux organes multiples, aux fonctions variées et concourant toutes à la finalité de l'ensemble?

Mais, alors que le monde moderne, dit civilisé, se convulse encore d'Est en Ouest dans des contradictions qu'il n'a toujours pas résolues, comment pourrait-il fournir une recette valable, un exemple cohérent à des peuples si différents, dans des environnements aussi variés? Peut-il faire autre chose que de dire: « Faites comme moi », un peu comme certains pères ont l'inconscience de dire à leurs enfants, qui ne sont généralement pas convaincus pour autant de la valeur des critères de valeurs choisis par leur aîné. Là encore, plutôt que des exemples si peu persuasifs, n'est-ce pas d'abord la généralisation d'une culture qu'il faut rechercher? Encore que cette culture n'est pas forcément « bonne » ou meilleure qu'une autre, mais l'on ne peut évidemment donner que ce que l'on a. Ajoutons que les conflits de générations sont d'autant plus sensibles dans ces pays sous-développés que le retard technique est plus important. On n'éduque pas les adultes et les vieillards. On ne peut éduquer que les enfants et les adolescents. Mais, alors, ayant fait parcourir à ces derniers quelques siècles de retard technique, on conçoit que leurs générations se heurtent à celles de leurs aînés d'autant plus violemment que celles-ci sont moins technicisées et plus fixées dans des mythes ancestraux. Le problème est particulièrement frappant en Afrique noire.

D'autre part, quand l'autonomie résulte d'une révolte nationale contre l'impérialisme international, les structures économiques antérieurement intégrées dans une économie globale plus vaste se retrouvent après la victoire brusquement isolées, et livrées à elles-mêmes. Elles se retrouvent inadaptées à subvenir aux besoins nationaux du fait même que leur adaptation antérieure résultait de leur participation à celles du pays colonisateur, qui n'a généralement rien fait pour développer à l'extérieur la polyvalence des productions. S'il ne veut pas sombrer dans la misère, le pays libéré se voit donc contraint de se soumettre économiquement à son ancien patron. En fait, à la suite de la division actuelle du monde en deux blocs antagonistes, en deux formes d'idéologies contradictoires, il lui faut choisir l'un ou l'autre. Il choisira l'hégémonie économique la moins lourde sans doute, exploitera parfois une politique de bascule, mais il faut bien constater que trop de déterminismes, linguistiques, raciaux, trop d'habitudes prises, trop de liens économiques et culturels existent généralement, pour qu'il ne retombe pas dans les bras de l'impérialisme ancien, sans même bénéficier souvent des avantages que lui procurait la présence sur son sol du colonisateur étranger. La libération devient une farce tragique qui mène directement aux coups d'Etat et à la dictature.

Que faire dans l'état actuel des choses? En dehors des bonnes paroles, des discours altruistes, des initiatives privées aussi louables qu'inutiles, car elles n'ont même pas valeur d'exemple au milieu de l'égoïsme de classe, de race, de nations, d'intérêts qui domine le monde, on ne fait rien ou pas grand-chose. On distribue des surplus, ce qui n'est pas une solution. Là encore, reconnaissons franchement et tout en pensant ce que l'on veut de la révolution chinoise, qu'elle a permis aujourd'hui à un peuple de 800 millions d'habitants de ne plus craindre la famine, alors que l'Inde avec ses 450 millions d'habitants, aidée par tout le monde occidental, en est encore la proie constante. Que serait-il advenu de l'économie occidentale si elle avait dû, en plus, assurer la survie précaire de 800 millions d'êtres humains? Je pense qu'elle n'aurait pas cessé d'être florissante, car elle s'en serait assez peu préoccupée, dès lors que son intérêt immédiat n'aurait pas été en jeu. L'aide à l'Inde est surtout motivée par la crainte de la Chine.

Le problème des pays sous-développés a quelque similitude d'ailleurs, au niveau d'organisation internationale, avec la lutte des classes au niveau national. On peut penser d'ailleurs qu'il s'agit de la même lutte, comme nous le disons plus haut, et que le prolétariat s'est internationalisé. Cependant, une différence essentielle subsiste. Sur le plan national, la bourgeoisie ne peut rien sans le prolétariat car si elle détient les moyens de production, le prolétariat possède sa force de travail. Les premiers ne peuvent rien sans la seconde, et c'est depuis que le prolétariat a pris conscience de son indispensabilité qu'il a pu en partie extorquer quelques avantages matériels à la bourgeoisie. Par contre, rien de semblable avec les pays sous-développés. Leur soumission aux hégémonies économiques des peuples industrialisés ne fait qu'accroître la richesse de ces derniers, mais leur sécession n'amènerait pas la disparition, l'effondrement des pays industrialisés. Et cela est la conséquence même du déterminisme écologique, c'est-à-dire du fait que ces pays industrialisés sont concentrés dans les zones tempérées de notre globe, où l'adaptation humaine au travail et à la productivité est la meilleure. Ah! si les peuples sous-développés étaient indispensables à la survie des autres, il y a fort à penser que l'on s'occuperait d'eux plus activement. Mais si l'impérialisme mondial est prêt à faire des guerres locales pour conserver l'exploitation de certaines régions pétrolières, ou pour conserver le contrôle de certaines régions dont il considère qu'elles sont importantes à sa sécurité, il sait bien par contre qu'il peut continuer à vivre sans les populations qui les habitent. Si les classes dominantes nationales ne peuvent se passer de leur prolétariat national qui détient la force de travail, l'impérialisme international par contre n'a pas besoin du prolétariat misérable qui constitue les population du tiers-monde. Autant dire qu'il considère faire œuvre charitable s'il ampute de quelques centimes le produit national, pour le livrer gratuitement pense-t-il à ces populations, alors qu'il retire de leur sol une richesse pourtant considérable. Pourquoi n'ont-elles pas d'ailleurs suivi une évolution technique semblable? C'est bien la preuve que ce sont des races inférieures, peu douées, et qui « méritent » le sort misérable qui est le leur. Même si cette opinion n'est pas toujours proférée, elle est toujours plus ou moins inconsciemment pensée. Elle résulte directement d'ailleurs de la notion de liberté humaine, l'homme libre étant seul responsable de son destin. Sans doute les socialistes diront que le retard pris par les peuples sous-développés, leur misère résultent directement de leur exploitation millénaire par les peuples colonisateurs. Mais cela ne résout pas le problème écologique fondamental qui s'étale sur des milliers d'années, ce qui explique que l'Européen transplanté, comme il le fut en Israël, a été capable de transformer le sol d'un pays qui, aux mains des hommes de même race (Arabes et Juifs sont des sémites) mais résidant sur lui depuis l'antiquité n'en avaient encore rien tiré. Il faut évidemment ajouter qu'Israël a pu bénéficier de l'aide économique efficace de toute une fraction riche de la bourgeoisie occidentale, dont les Arabes n'ont pas bénéficié au même degré.

En résumé, il faut reconnaître que le « tiers-monde » a peu de bien à attendre du « beau monde », si ce n'est des réactions violentes à ses essais de libération de son hégémonie parce qu'il n'est pas indispensable à sa survie. Il n'est qu'un facteur supplémentaire de richesse. Il devra obligatoirement tout attendre de lui-même. Il semble que la Chine l'ait compris. Il peut parfois utiliser l'antagonisme latent entre les deux grands blocs adverses. Mais il est peu probable, et la guerre du

Viêt-nam, entre autres, en apporte la preuve, que ces deux blocs en viennent réellement aux mains (ce qui est peu souhaitable d'ailleurs) pour s'assurer définitivement le contrôle de régions qui ne sont pas indispensables à leur survie. Quant aux populations qui les habitent, elles représentent, en dehors d'un moyen de propagande, le dernier de leur soucis. L'homme est ainsi assez illogique pour se passionner pour sauver un enfant d'une maladie rare, en improvisant parfois une chaîne de solidarité, pour placer sur le plan humain, et non pas seulement technique, quelques transpositions cardiaques de-ci de-là, permettant à quelques chirurgiens d'exposer leur sexe à l'adoration du public, mais au même moment on tue en masse des enfants aux quatre coins du monde, ou on les laisse mourir de faim. Qui osera dire ensuite que l'homme n'est pas entièrement guidé par son désir de domination, même quand il essaie de nous faire croire qu'un grand souffle humanitaire le transporte? Mais peut-être les sociétés ont-elles des raisons que l'individu ignore?

De toute façon, je ne vois guère que la survenue d'une nouvelle époque de glaciation, si l'homme est encore incapable de s'en protéger, que le recouvrement par les glaces des zones actuellement tempérées, comme cela est survenu déjà à plusieurs reprises dans l'histoire de l'humanité, pour changer profondément les données du problème. Mais même dans ce cas, il n'est pas certain que les régions tropicales et équatoriales actuelles ne soient pas alors submergées par des hordes barbares, celles des hommes occidentaux refluant vers le sud en abandonnant leurs richesses matérielles et culturelles sous le poids des éléments déchaînés. Encore que le processus revêtira sans doute une certaine lenteur et que la transhumance se fera progressivement sans doute, un peu comme les Européens ont occupé l'Amérique. Pauvres peaux-rouges!

Ainsi, le problème du tiers-monde est sans doute un de ceux qui exigerait de l'homme moderne le plus grand effort d'imagination, un désintéressement total, l'oubli momentané de ses comportements ancestraux, la pleine conscience de ses déterminismes. Il exigerait de lui qu'il soit un tout petit peu plus qu'un homme, car l'avenir de l'espèce humaine n'est même pas mis en question par ce problème. Il est peu probable en effet que les mal nantis puissent aujourd'hui déferler, comme l'on fait jadis les hordes barbares, sur les peuples nantis. Ce serait plutôt l'inverse si l'on s'en tient à l'actualité. Mais cela n'est guère plus souhaitable. Car les barbares se sont civilisés au contact des peuples qu'ils ont envahis et ont donné ainsi naissance aux sociétés modernes. Alors que l'homme civilisé (ou soi-disant tel), au contraire, nourrit un tel mépris pour ceux qu'il juge ne pas l'être, qu'il a toujours tenté, même s'il n'y parvient pas toujours, de les détruire, ou de les réduire à l'une des formes multiples de l'esclavage.

Combien ai-je connu de ces êtres blancs, nés du seul hasard d'une copulation autour du quarante-huitième degré de latitude nord, et ayant bénéficié sans y être pour quoi que ce soit, de ce seul fait, de l'acquis de multiples générations précédentes, écraser l'indigène de leur paternalisme ou de leur prétention? On se demande si la cruauté animale, celle du lion à l'égard de la gazelle, n'est pas encore plus aimable que cette inconscience vaniteuse du déterminisme de la naissance. Il ne s'agit pas en effet de nier ce déterminisme qui fait que l'on naît avec une peau blanche, l'autre noire, l'autre jaune, avec tous les facteurs génétiques concomitants, et tous ceux résultant du milieu, de la technicité atteinte par l'environnement humain à une certaine époque en certains lieux. Il s'agit non de les nier, mais de les mieux connaître pour les dépasser. Toujours la gravitation... Et, surtout, il s'agit de ne pas considérer, notion directement dérivée de celle de la liberté humaine, que le « mérite » de notre naissance nous revient. Nous ne sommes pour rien dans ce que nous sommes, même si nous sommes décorés de la Légion d'honneur. Nous devons simplement nous contenter d'assumer la conscience de nos déterminismes en en cherchant d'autres capables de nous délivrer de ceux-là: c'est une étape. Il restera encore à aider les autres à dépasser leur propre déterminisme. C'est ce que devraient tenter de faire les peuples technicisés par rapport à ceux qui le sont moins. Tâche difficile, car elle fait appel à des sentiments du même genre que ceux qui unissent et séparent enseignant et enseigné. Sentiment de dépendance du second à l'égard du premier. Mais cela résulte des jugements de valeur liés au titre de professeur, au terme de tutélaire, à la notion de connaissance. Lorsque l'on remplace ce fatras sémantique, lié à l'état de domination de l'enseigné par l'enseignant, par la notion de transmission d'informations, l'affectivité en est déjà fortement réduite. A-t-on l'impression d'être dominé par la personne à qui l'on demande son chemin dans une ville inconnue? N'est-ce pas seulement cette personne l'enseignant? N'est-ce pas celui qui renseigne sur des relations déjà reconnues sans pour autant vous dicter le chemin que vous devez suivre ensuite pour atteindre un but qu'il n'a pas à fixer. Tout au plus peut-il souhaiter ne pas voir le passant auquel il a indiqué son chemin s'arrêter en route et fixer son campement dans une citadelle désaffectée sous prétexte que l'épaisseur de ses murs le sécurise et lui évite de chercher à découvert un site plus lointain.

Tout cela peut paraître assez décevant. Et, pourtant, quelques raisons d'espérer subsistent, qui font encore croire à l'évolution. Le fait, par exemple, que la force des armes dont on pourrait se servir ne suffit plus à écraser un peuple, puisqu'on ne s'en sert pas. On ne s'en sert pas, peut-être parce que les peuples qui les possèdent jugent que les intérêts mis en jeu ne sont pas suffisants. Mais peut-être aussi parce qu'une certaine conscience universelle mettrait ces peuples au ban de l'humanité. Parce qu'ils savent que leur cause n'est pas juste, ou du moins qu'elle n'est juste que pour eux-mêmes, que pour une petite fraction de leurs couches sociales. Il y a là une évolution notable. Le fait de ne plus croire aux valeurs immortelles d'une classe, d'être obligé de les défendre avec des arguments vermoulus, dont on sent qu'ils s'effritent sous les doigts; le fait qu'un soupçon de relativité s'infiltre lentement dans les consciences les plus sclérosées. Mais que cet optimisme se tempère. Le racisme le plus obtus est encore le sentiment le plus universellement répandu, soit au nom des immortels trésors des civilisations judéo-chrétiennes, soit plus simplement par l'expression du réflexe fondamental du non-partage de la femme de la même couleur.

Que les peuples sous-développés soient désespérément seuls, c'est certain. Mais ce qui n'est pas certain, c'est que cela soit défavorable à leur évolution. Ils pourront choisir, espérons-le, par leur révolte, dans les civilisations prétendues exemplaires qui leur sont offertes ici ou là, ce qui semble le mieux convenir à ce qu'on appelle leur génie propre. Ils ne se verront pas imposer par la force une façon de vivre considérée par celui qui la pratique comme la seule valable et objet d'exportation. Ils s'autoriseront à user de leur imagination. Ce faisant, au lieu de perpétuer chez l'homme le don d'imitation des grands anthropoïdes ils pourront peut-être, au début dans la misère et la souffrance, mais aussi dans la lucidité, trouver leur propre chemin vers plus de conscience et plus d'humanité. Ils pourront même, qui sait, avec un peu de chance? sauter quelques étapes intermédiaires sombres, où les peuples nantis s'attardent encore désespérément.

XIV

La droite et la gauche

Jusqu'ici nous n'avons guère envisagé la politique à la manière du Palais-Bourbon. Où se situe, dans cet essai que nous venons de tracer, la droite et la gauche? Comment les définir? On pourrait dire que la droite comprend les sédentaires, ceux à qui le mouvement répugne, qui désirent maintenir l'état de choses existant, leurs privilèges et leurs biens sociaux. Comme ce sentiment n'est pas empreint d'idéalisme, l'homme de droite préfère se présenter comme le défenseur de valeurs séculaires, voire éternelles, de la morale, de la religion, du droit, de la justice, de la propriété, du travail, de la famille, etc., de toutes ces entités qui ont fait la fortune du bourgeois de toutes les nationalités. C'est un « conservateur ». On le serait à moins. C'est d'ailleurs pourquoi les églises en sont pleines, car on dit là aux malheureux que la souffrance transcende et qu'elle élève l'homme au-dessus de lui-même, que le royaume de Dieu n'est pas de ce monde, qu'il faut se désintéresser de celui-ci pour conquérir la joie dans l'autre, notions qui remplissent de contentement celui qui craint la révolte ici-bas de ceux pour qui il sera si facile d'entrer aux cieux. Cette politique du renoncement, apparentée à celle des intouchables hindous, adeptes de la métempsycose, ne peut que concourir à la protection des privilèges établis. Les pharisiens de tout poil l'ont toujours trouvée à leur goût.

Mais la gauche alors? Serait-elle caractérisée par le désir de changement? Sans doute, mais ce changement peut aller du détail au bouleversement profond des structures sociales. Le goût du changement ne peut suffire à les décrire, même si l'on ajoute les qualificatifs parfaitement vides de sens, d'un changement « vers plus de justice sociale ». Puisque la droite paraît se définir par la notion de maintien de la propriété privée des moyens de production avec l'idéologie qui l'accompagne, la gauche serait-elle constituée par ceux qui pensent que l'abolition de cette propriété privée est indispensable à l'évolution sociale? Dans ce cas, la gauche commence au parti communiste, mais pas avant, car ce qu'il est convenu d'appeler les « socialistes » ne paraissent l'être dans cette définition, et encore bien timidement, qu'en paroles. On comprend que le désir louable de l'unité de la gauche est un mythe et j'ajouterai, heureusement. Si la caractéristique de la gauche est le changement et si ce changement passe par l'abolition de la propriété privée des moyens de production, en supposant même que celle-ci soit réalisée, c'est alors que tout commence, car cette abolition ne résout pas les problèmes. C'est ce qui explique cette explosion d'idéologies qui du communisme orthodoxe, dit stalinien, et du communisme révolutionnaire, en passant par le trotzkisme, le maoïsme, le castrisme, le spontanéisme et autres variantes, cherchent une solution nouvelle aux problèmes humains. Si la gauche était unie, elle serait la droite. En d'autres termes, si elle avait trouvé cette solution, elle la conserverait. Sa qualité fondamentale est de se poser des problèmes, de chercher. La caractéristique de la droite est de ne pas s'en poser, de conserver. Il y a, entre la gauche et la droite ainsi définie, la différence qui existe entre le professeur de faculté et le chercheur. Mais nous devons ajouter: le chercheur qui cherche pour trouver, ce qui n'est pas tellement fréquent, comme il n'est pas tellement fréquent de rencontrer un homme dit de gauche qui n'ait pas déjà trouvé, pour qui les problèmes sociaux ne sont pas déjà résolus en théorie.

Et voilà le drame de la gauche! Quand la droite défend ses biens matériels, ses prérogatives, elle sait ce qu'elle défend, elle a l'expérience de l'utilisation de ces biens, elle devine ce qu'il lui en coûterait de les perdre. La gauche ne défend aucun bien matériel, elle ne défend souvent qu'une idéologie qui pourrait les lui procurer. Mais on nous dit que le socialisme n'est réalisé dans aucun pays du monde. Les étapes vers ce socialisme franchies, ici ou là, ont montré à côté de certains avantages, de gros inconvénients. Ils seraient évités, paraît-il, dans un pays hautement industrialisé comme le nôtre, car aucune révolution socialiste n'a jamais eu lieu dans un pays industrialisé. Pourquoi? Ne serait-ce pas parce que, si ce n'est que l'appétit de biens matériels qui anime les couches défavorisées dans ces pays, le capitalisme constitue une autre voie d'obtention de ces biens matériels qui n'est pas inefficace? Si c'est le contrôle par elles-mêmes de leur destin que recherchent ces classes défavorisées, ce qui doit être finalement le but réel du socialisme, on comprend que l'unité de la gauche soit difficile, car c'est le problème de toute la destinée humaine qui est posé. Aucune idéologie ne l'a résolu. Cette recherche ouverte ne sera jamais finie, mais c'est la seule qui compte. Elle ne peut être l'objet que d'hypothèses de travail, non de solutions préfabriquées. Le jour où un peuple a cru découvrir cette solution et s'y est maintenu, il a découvert la bureaucratie et c'est elle, dès lors, qui a tout fait pour se maintenir. Nous ne pouvons pas souhaiter l'unité de la gauche, si cette unité signifie unité de pensée et d'action. La première richesse de la gauche doit être sa diversité. Lorsque celle-ci disparaît, elle évolue irrésistiblement vers la droite et ce n'est pas un hasard si le communisme orthodoxe est actuellement débordé sur sa gauche. Pendant ce temps, l'évolution de la droite ne se fait pas vers un retour vers l'empire, la royauté ou le régime féodal. Il se fait vers la gauche qui pour elle est le centre. Cela signifie que s'effritent les vieux préjugés sous les coups répétés des transformations économiques, de la technicité croissante de l'industrialisation progressive, de l'information galopante, comme l'obscurantisme rhétorique cède lentement le pas à la diffusion des découvertes scientifiques.

Mais toutes les idéologies, qu'elles soient de droite ou de gauche, sont capables d'utiliser la technique, d'utiliser les retombées de la science. Par contre, aucune d'elles jusqu'ici n'a été capable d'utiliser réellement cette dernière On peut porter au crédit de la gauche un état d'insatisfaction qui la pousse à la recherche alors que la droite se contente de ce qui existe déjà dans ce monde dit « libre », parce qu'inconscient de ses déterminismes ou, s'il en est conscient, décidé à en profiter le plus longtemps possible. La recherche de la gauche sera vouée à l'échec si elle utilise comme seuls outils la révolution ou le logos. La recherche sous-entend la recherche de lois, de lois scientifiques qui ne se limitent pas à l'environnement mais doivent concerner aussi l'acteur lui-même: l'homme. Tant que celui-ci sera considéré comme un facteur invariant, ne réflétant que son environnement, comme un être désincarné, hors du monde matériel qu'il subirait alors qu'il en fait intégralement partie, tant que son aspect biologique en totalité, à chaque niveau d'organisation, ne sera pas pris en charge par une recherche sociologique basée sur toutes les disciplines biologiques donc physiques, seule la moitié du problème aura été envisagée, donc la solution écartée.

On peut affirmer que l'idéologie dite de droite est en cela plus forte car elle postule que l'homme est bourré de défauts, par rapport à ses règles personnelles. N'attendant rien de l'action de l'homme sur le milieu, elle l'encadre de ses morales, de ses lois, et lui crée dès l'enfance un maximum de réflexes conditionnés. Elle lui apprend où est le bien et le mal, l'honneur, le devoir, la discipline, de façon à ce qu'il n'ait pas à se poser de questions à ce propos, et qu'aucune perturbation ne surgisse pour elle de l'action d'un seul de ses sujets. Elle lui interdit de chercher ailleurs d'autres raisons de vivre que celles qu'elle lui impose. Tout ce qu'elle lui autorise parfois pour la fuir, c'est d'être navigateur solitaire, car cela peut servir de publicité pour lancer dans le commerce un nouveau type d'embarcation. La droite considère l'homme comme foncièrement « mauvais » mais capable de s'améliorer par la stricte observance des règles qu'impose le respect de certaines « valeurs » qu'elle trouve « bonnes » parce qu'elles lui permettent de survivre agréablement. L'homme de gauche, depuis Rousseau, ne peut s'interdire de considérer l'homme comme foncièrement « bon » s'il n'est pas soumis aux déformations du comportement que lui inspire une société rendue « mauvaise » par l'existence de la classe bourgeoise. Ainsi, dans une société sans classes, des anges asexués passeraient leur vie à travailler en chantant, des gerbes de blé sur leur épaule, et à se serrer la main, car logiquement l'ambition, la jalousie, l'envie, l'instinct de domination, la haine, la colère, auront vu leur source se tarir par la transformation du milieu social.

Malheureusement, ce paradis terrestre ne risque pas de se réaliser tant que l'homme n'aura pas compris par quels mécanismes biologiques ces différents comportements peuvent apparaître et par quels moyens précis il peut parvenir à les contrôler. En effet, on pourrait aussi bien envisager d'agir d'abord sur le comportement individuel plutôt que sur l'environnement social, si nous avions les moyens scientifiques de le faire, puisque l'homme fait partie intégrante du milieu. On peut imaginer qu'en supprimant l'instinct de domination on supprimerait non pas seulement les luttes de classes, mais les classes elles-mêmes. Par contre, il est peu probable qu'en supprimant les classes sociales on supprime l'instinct de domination. Celui-ci semble intimement lié à la propagation et à la survie de l'espèce.

Il y aurait un certain progrès si chaque homme était conscient de ce déterminisme. Imaginez une campagne électorale à la télévision où chaque candidat serait conscient qu'il présente à l'admiration des foules son sexe plus ou moins camouflé en disant: « J'ai le plus beau, le plus fort, suivez-moi, je suis Tarzan » et où chaque électeur jugerait la présentation plus ou moins convaincante et tenterait de découvrir derrière la feuille de vigne ce qui resterait d'utile à l'ensemble social. Beaucoup d'animaux pour exprimer leur domination sur un autre individu du même sexe font sur lui le simulacre de l'acte sexuel. J'ai souvent l'impression, en voyant vivre mes contemporains, qu'ils présentent généralement leurs fesses de la même façon aux plus agressifs et aux plus dominateurs.

Dans un pays industrialisé comme le nôtre, désirer un changement profond du régime socio-économique est louable, mais pour y parvenir, à moins d'une dictature, il faut d'abord obtenir l'assentiment du plus grand nombre. Ce plus grand nombre ne paraît pas décidé aujourd'hui à abandonner les avantages matériels que lui concède le régime socio-économique existant. Cet abandon ne peut être obtenu que par l'éducation non politique, mais scientifique, de ce plus grand nombre. Par une véritable révolution mentale, par une transformation profonde du comportement. La révolution socio-économique à elle seule peut-elle non seulement réussir, mais encore s'installer, avec l'assentiment de la masse, qui bien nourrie ne la désire pas, si une telle transformation du psychisme n'est pas réalisée? Sinon ne risque-t-on pas de retrouver une dictature, avec ses excès, ses contre-révolutions, ses emprisonnements et ses meurtres?

Une autre attitude résulte de l'opinion que le régime socio-économique existant est destiné à disparaître car il porterait en lui ses propres facteurs de déchéance. Certains faits porteraient à le croire, mais d'autres entraînent le doute. Il est vraisemblable qu'il disparaîtra un jour du fait de la lente évolution scientifique des sociétés humaines. Mais dans combien de temps, même si on l'aide un peu? Nous en revenons toujours à la même notion. Si le but essentiel d'une révolution est de permettre à l'individu de devenir maître de son destin, une révolution ne changera rien à son déterminisme, tant qu'une éducation efficace ne sera pas répandue. Mais comme une telle éducation ne peut venir des structures socio-économiques existantes, nous paraissons être emprisonnés dans un cercle vicieux d'où il semble difficile de sortir de façon explosive. Cela vient du fait que l'homme n'est pas seulement une force de travail, un élément énergétique; mais aussi une structure biologique complexe, se croyant libre dans l'inconscience de ses déterminismes.

Quand la majorité est acculée par la faim, la misère et le mépris, au sacrifice d'une vie qui ne vaut plus la peine d'être vécue tant elle est misérable, la révolution est à coup sûr triomphante. Mais quand une majorité est satisfaite, repue, et se croit libre parce qu'elle est inconsciente de ses contraintes et de ses aliénations, la révolution ne doit-elle pas s'adresser d'abord au degré de conscience avant de s'adresser aux forces de production? Et ce degré de conscience peut-il être atteint par la force, par un autre type de contrainte, qui, elle, sera ressentie par cette majorité comme telle, puisqu'elle était inconsciente de ses contraintes antérieures et croyait appartenir à un monde dit « libre »?

Tout ne doit-il pas commencer par l'éducation de la masse? Mais comment l'éduquer si on lui imprime un nouveau catéchisme, un nouveau carcan intellectuel qui en bloquera à nouveau l'évolution? Comment aussi éduquer les générations entièrement fossilisées dans leurs réflexes conditionnés et qu'une éducation scientifique multidisciplinaire n'aura pas fait naître au sentiment de la relativité des choses et des êtres? A qui la biologie n'aura pas fait découvrir le déterminisme de leur système nerveux?

Comment éduquer un peuple dont l'économie est entièrement et intimement mêlée à celles des autres, à tel point que la notion de frontière n'est là que pour limiter les déplacements individuels, mais pas ceux des capitaux? Comment éduquer non pas « une » bourgeoisie nationale, ce qui ne servirait pas à grand-chose, mais « la » bourgeoisie internationale? Ce qu'un pays comme Cuba a eu le courage d'entreprendre et sera peut-être à même de réaliser, il le doit à sa situation insulaire, à la pauvreté originelle de sa population. Il le doit aussi à sa situation géographique, qui a commandé l'intérêt que lui a porté l'URSS dans son antagonisme avec les USA. Une telle situation peut certes encore se renouveler dans d'autres régions du tiers-monde. Peut-elle se réaliser dans les pays d'Europe occidentale, par exemple? Les facteurs qui ont permis cette réussite ne sont-ils pas à rapprocher de ceux qui ont, il y a quelque cinquante ans, permis la réussite de la révolution russe? à savoir, le retard économique et culturel considérable de la population, avec cet avantage qu'entre-temps l'évolution ne s'était point arrêtée et que Cuba a pu profiter de l'expérience et des erreurs de ses devanciers? En d'autres termes, comment faire prendre conscience de la nécessité d'une évolution, voire d'une révolution, à une masse qui n'a pas conscience de cette nécessité, parce que ses besoins fondamentaux sont assurés? Et comment s'étonner qu'en France, le parti communiste n'ose proposer autre chose, pour ne pas trop effrayer son public, que le passage par une « démocratie avancée » pour recueillir quelques suffrages? Comment s'étonner que l'Université, qui n'est d'ailleurs le plus souvent qu'un banal creuset à techniciens, ne puisse faire alliance avec le prolétariat industriel, bien qu'elle sente la nécessité de s'appuyer sur une base plus solide que celle des intellectuels petits-bourgeois? Les notions révolutionnaires n'ont trouvé d'échos, et cela est assez symptomatique, que dans une fraction, non scientifique le plus souvent, mais généralement littéraire, de la jeunesse universitaire. Fraction non scientifique parce que l'autre, orientée vers l'utilisation industrielle de ses connaissances, se trouve très tôt incluse dans une société technique qui lui assure une vie confortable et honorablement considérée. Fraction non scientifique, parce que la culture exclusivement littéraire rend plus sensible aux arguments théoriques, moins inquiet devant l'absence de preuves expérimentales, plus ignorant de la cruelle rigidité des choses de la matière, et surtout moins apte, dans une société technicisée, à trouver des débouchés professionnels?

Or, il n'est pas sûr que la jeunesse universitaire révolutionnaire, puisque tel est son qualificatif, soit tellement inefficace dans son isolement. Il s'agit de savoir quel peut être son objectif. Celui-ci ne peut être de faire « aboutir les justes revendications des travailleurs ». Qu'elle laisse ce travail aux partis politiques tels qu'ils sont et aux syndicats! Ceux-ci ne se sont pas tellement mal débrouillés jusqu'ici. Son objectif est autre: c'est *d'imaginer* le monde socio-économique de demain et surtout de diffuser la culture. J'entends, par là, de semer le doute au sein de toutes les classes et non pas seulement l'ouvrière, sur la légitimité de l'ordre existant. De montrer au plus grand nombre la fragilité des jugements de valeur et le déterminisme des structures mentales. D'éclairer brutalement l'avenir d'un monde humain qui ne connaît et ne veut connaître que son environnement, qu'il prétend dominer en s'ignorant lui-même, en conservant dans l'inconscience un comportement commandé par des formules qu'il détient d'un autre âge, le plus souvent d'un âge préhumain. Pour cela, il est important que la jeunesse intellectualisée ne s'isole pas dans son intellectualisme, qu'elle aille expérimenter in vivo, dans les différents groupes sociaux et professionnels, les aliénations des autres et les compare aux siennes. Il est important qu'elle s'informe et non pas dans un seul méridien. Il faut qu'elle parcoure la rose des vents idéologiques, politiques, professionnels et culturels.

Si la généralisation et la transformation constante de la technicité sont nécessaires à l'avènement de l'homme « énergétique » de demain, dont le travail consistera surtout à fournir les informations aux machines, la généralisation de la culture relativiste, celle de la notion du déterminisme biologique, sont tout aussi nécessaires. Des techniciens, politiques, économistes et sociologues, pourront bien aménager les sous-ensembles, fournir des solutions partielles et chaleureuses aux problèmes innombrables qui se posent aux sociétés modernes, rien d'important, de dynamique, de vraiment révolutionnaire, ne pourra être fait. *La révolution, c'est d'abord en nous qu'il faut la faire.* Et si par bonheur un jour elle se réalise, si l'humanité devient autre chose que ce grouillement d'appétits et d'instincts antagonistes sous lequel elle nous apparaît aujourd'hui, ce sera simplement parce que cette déesse aveugle, que certains appellent le déterminisme historique, en aura décidé ainsi. En attendant, des légions d'hommes perdront la vie pour que cet âge arrive et souvent même parmi les plus conscients. Et maintenant, je vous conseille d'aller porter sérieusement votre bulletin dans l'urne. Que diriez-vous si, à tous les tons dégradés qui vont du bulletin rouge au bulletin blanc, on ajoutait délibérément une autre couleur: un bulletin vert par exemple? Celui de l'espoir, de l'imagination, celui qui placerait en tête de ses préoccupations l'enseignement généralisé, non orienté de façon autoritaire, celui de la restructuration permanente?

Ainsi, je serais tenté de dire que la gauche n'existe pas sous une forme législative organisée.

Il n'existe que des partis conservateurs, car dès qu'une structure naît, tous ses efforts consistent à se conserver. On ne voit jamais un parti suivre une évolution interne, lui permettant de transformer profondément sa structure. C'est pourquoi, dans cette orientation spatiale qui définit la politique traditionnelle, on observe que, au fil des ans, la gauche d'hier dérive progressivement vers le centre, qui lui-même dérive vers la droite. Et ce qui pourrait être en réalité la véritable gauche d'aujourd'hui ne peut être qu'une pensée qui se cherche, et qui n'a pas encore trouvé. Son action ne peut être que de troubler les bonnes consciences, de semer le désordre intellectuel et affectif dans les cadres satisfaits de la société régnante. Elle ne construit rien? Heureusement pour elle, car le jour où elle s'y décidera, nous n'aurons plus affaire à une forme vivante mais à une momie, dont les structures sociales seront le sarcophage, les certitudes intellectuelles, les bandelettes embaumées, et les gardiens de la «paix », comme on dit, les pyramides!

Mais consolons-nous, les gauchistes les plus anarchisants font déjà partie de l'ordre existant, car s'il n'y avait pas de droite, pas de gauche conformiste, il faudrait bien qu'ils en prennent la place. La biologie nous apprend que la vie n'est qu'une organisation dynamique à partir du désordre de la matière.

Epilogue.

On peut reprocher bien des choses aux réflexions précédentes. La première, et qui me fut fréquemment opposée, est purement affective. Elle résulte de la difficulté que nous avons à admettre notre déterminisme, à accepter de perdre notre liberté. Il faut avouer qu'on a fait faire jusqu'ici tant de choses aux hommes au nom de la liberté, tant d'entre eux sont morts en prononçant son nom, que ce préjugé est difficile à abandonner. Celui qui y touche est toujours et partout sacrilège. Le plus curieux d'ailleurs, c'est que ce sont les matérialistes politiques les plus convaincus qui en sont souvent les plus ardents défenseurs. Il semble que la notion de liberté est indispensable aux sociétés pour soumettre l'individu en lui faisant croire qu'il les a librement choisies. La société capitaliste, par exemple, que les révolutionnaires nous disent aliénante, et qui est le facteur déterminant d'apparition de ces révolutionnaires eux-mêmes, laisse croire à l'individu, de la même façon que la société socialiste, qu'il est fondamentalement libre de se libérer d'un déterminisme et d'une aliénation qui sont à l'origine de sa croyance en la liberté.

Aussi m'a-t-on reproché de boucher l'avenir, d'interdire l'action, de me replier sur une contemplation ombilicale isolée, d'enlever toute signification à la vie. Je répondrai que, parce que nous avons appris à connaître les lois de la gravitation, nous avons appris à voler et à nous libérer de l'attraction terrestre. Nous ne nous sommes pas libérés du déterminisme universel, qui nous attend sur la lune. Mais nous avons appris à l'utiliser pour élargir notre champ d'action. Ce n'est pas en nous bouchant les yeux et les oreilles dès qu'il s'agit de notre déterminisme biologique que nous parviendrons à le dépasser et à en trouver un autre, d'un niveau d'organisation supérieur. Ainsi la conscience, puis la connaissance de notre soumission biologique aux lois de la matière, n'est en rien un frein à l'action. Que nous le voulions ou non, notre déterminisme biologique nous contraint à agir. L'action peut revêtir différentes formes, et je ne crois pas que le fait de faire fonctionner son imagination et de créer de nouvelles structures ne soit pas déjà une action. Ce qui est vrai, c'est que sur le plan de l'efficacité cette action peut apparaître d'un intérêt souvent limité à l'heure actuelle. Mais elle n'est limitée que parce que l'imagination est une faculté assez peu utilisée jusqu'ici par les hommes, du fait que cette faculté individuelle est dangereuse pour les sociétés, puisqu'elle risque de proposer des solutions neuves qui mettraient en jeu la survie de l'ordre social établi. Il n'en serait plus de même si un très grand nombre d'hommes devenait créateur. Mais pour cela, il leur faut avoir la conscience d'abord, puis la connaissance, des mécanismes de leur déterminisme actuel, sans quoi il ne pourront jamais le dépasser.

L'ouvrier qui sort le soir de son usine, après une journée de travail machinal et accablant, n'est pas dans les meilleures conditions pour réfléchir sur son déterminisme et ses facultés d'imagination créatrice. Ceci est l'apanage de quelques intellectuels petits-bourgeois. Notons aussi que le phénomène est identique, que l'usine soit à Moscou, à Paris ou à Pékin, que la propriété privée des moyens de production soit abolie ou non. Cela ne veut pas dire que cette propriété privée ne soit pas à supprimer, mais cela ne suffit pas. Il faut donner à cet ouvrier la structure mentale nécessaire pour se libérer de ses déterminismes, c'est-à-dire, la conscience, puis la connaissance de ces déterminismes, ceux de l'extérieur et ceux de l'intérieur. Or, cette éducation n'est possible que si les machines prennent sa place et remplissent son travail. Mais dans une société, qui a pris l'habitude de considérer l'homme du seul point de vue de sa force de travail, celle qu'heureusement on peut espérer voir un jour remplacée par les machines, celle qui lui permet d'assurer aujourd'hui son approvisionnement indispensable, on voit mal comment cette éducation pourrait se faire. Il suffit de noter combien l'homme moderne s'émerveille de l'automation mais combien il la redoute. On le comprend aisément, car cet homo uniquement faber, le jour où il n'aura plus qu'à appuyer quelques instants par jour sur des boutons sera devenu presque inutile. Il sera bon pour les loisirs et les maisons de la Culture... mais quelle culture! Une culture en pièces détachées n'abordant jamais les problèmes fondamentaux que de façon parcellaire et dans une orientation strictement littéraire, puisque le délicieux problème du recyclage technique risque fort d'être devenu inutile, excepté pour quelques-uns. Quelques-uns qui assureront encore l'évolution technique, alors que quelques autres, isolés, toujours, poussés par un déterminisme incompréhensible, se chargeront encore d'imaginer les mondes à venir.

Ainsi, il apparaît que le but immédiat pour qui espère en l'évolution humaine est de hâter l'automation. Mais cela ne servira à rien en ce qui concerne l'aliénation humaine et ses contraintes, si parallèlement on ne donne pas à tous ces hommes « énergétiques », devenus inutiles, les moyens de devenir créateurs. Sinon, on risque d'aboutir rapidement à un monde de Hippies, entièrement abandonnés à leurs motivations inconscientes, et se comportant de façon semblable aux sociétés d'anthropoïdes auxquels la forêt équatoriale fournit sans gros effort l'essentiel de leurs besoins.

Je dois pourtant avouer que ces Hippies me sont, tout compte fait, plus sympathiques, dans leur fuite de certaines contraintes et leur empressement à s'en trouver de plus abrutissantes encore, que les justes de tous les pays, sûrs de leur bon droit, de leurs morales, de leur propriété privée, de leurs religions et de leurs lois, de leurs immortels principes de 89, jamais indécis jamais tourmentés, sûrs de détenir la vérité et prêts toujours à l'imposer, au besoin par la guerre, la bouche pleine d'une liberté qu'ils imposent et qu'ils s'imposent à coups de bottes ou de dollars, nourris au lait de la publicité et des dogmes. Oui, je crois préférer encore la destructuration des images due à la LSD aux images sclérosées qui peuplent ce monde incohérent par la multitude des certitudes admirables, ce monde libre pour qui a suffisamment d'argent pour se croire libéré, ce monde qui remplace la notion de structure dynamique par celle de charpente sociale cimentée par les armées, ce monde qui confond l'individu et le compte en banque, la créativité et le commerce, les évangiles et le droit civil, ce monde qui a bonne conscience parce qu'il n'a plus de conscience du tout, ce monde où l'on ne peut plus rien chercher car l'enfant y trouve à sa naissance sa destinée définitivement écrite sur sa fiche d'état civil, ce monde qui momifie l'homme dans ce qu'il appelle l'humanisme, qui parle de l'individu comme si celui-ci pouvait exister isolément, confond société et classe sociale, justice et défense de la propriété privée, ce monde qui ne cherche rien parce qu'il a déjà tout trouvé.

Non, il n'est pas possible de ne pas éprouver une certaine sympathie pour les drogués. Eux au moins, à un moment ou à un autre, ont peut-être, dans un éclair de conscience, réalisé l'immensité et la tristesse de leur déterminisme, ce qu'ignorent les imbéciles qui, on le sait, sont généralement heureux. A ceux qui cherchent à fuir ce monde sans humour et qui se réfugient dans des paradis artificiels en perturbant pharmacologiquement l'association des images inscrites dans les mécanismes de leur biochimie cérébrale, ce qu'il faudrait dire c'est qu'au lieu de se créer un monde irréalisable parce qu'individuel et non confronté aux relations existant déjà dans l'environnement, confrontation qui permet seule de juger de la validité d'une hypothèse, ils seraient peut-être plus efficaces en tentant de laisser fonctionner leur imagination créatrice. Malheureusement, celle-ci ne peut fonctionner que si elle parvient à se dégager de la prison des réflexes où la société l'enferme dès l'enfance. Les solutions neuves ne peuvent être découvertes qu'à ce prix. Malheureusement, le drogué n'est pas sorti de cette prison, puisque c'est parce qu'il se sent confusément prisonnier justement qu'il se drogue. Et, ce faisant, il ne sort pas de sa prison, mais il n'en voit plus les murs, il les déforme, il ne les reconnaît plus pour tels et croit ainsi s'être échappé. Il se distingue en cela du découvreur qui est capable de rêver un monde qui un jour ou l'autre deviendra réalisable, qui en d'autres termes est capable de déplacer, d'écarter les murs de sa prison. Et, puisque l'occasion nous est incidemment donnée de parler des drogués, posons-nous la question de savoir pourquoi la société, qui en est responsable, a présenté cette réaction récente contre les drogués. Je voudrais reproduire ici un passage de l'intervention de Andrew I. Malcolm au

IIe Congrès de la Fondation canadienne sur l'alcoolisme (Québec, mai 1967).

« L'activité policière a été intense et la presse a manifesté une grande préoccupation à ce sujet. Permettez-moi de changer *un seul mot* en citant quelques statistiques trouvées dans un ouvrage de Hayman[1].

« Aux Etats-Unis, soixante-dix millions de citoyens font usage de marijuana. Cinq millions sont marijuaniques.

» De dix à quinze pour cent de marijuaniques terminent comme improductifs, leur foyer brisé et leur emploi menacé.

» Plus de la moitié de toutes les arrestations dans les villes de Californie sont pour intoxication par marijuana.

» D'après une enquête, la marijuana entrait en ligne de compte dans soixante-quatre pour cent des homicides, soixante-dix pour cent des attaques criminelles sur la personne, cinquante pour cent des attaques avec armes à feu et autres.

» Une autre enquête a prouvé que la marijuana entrait en ligne de compte dans quarante et un pour cent des morts violentes, trente-six pour cent des suicides, et quarante-neuf pour cent des accidents d'automobiles causant la mort ou des blessures.

» Or, bien entendu, ajoute A.I. Malcolm, dans chacune de ces déclarations, le mot *original qu'il fallait lire était alcool et non pas marijuana.* »

Le même auteur écrit dans le même rapport à la page précédente:

« Si l'existence de l'alcool n'avait pas été connue depuis des milliers d'années, il semble bien pro-

[1] Hayman M. (1966): Alcoholism, Mechanism and Management, Charles C. Thomas.

bable qu'un quelconque chimiste entreprenant de la Suisse[1] en aurait fait la synthèse il y a une dizaine d'années pour le traitement de l'anxiété. On aurait annoncé cette préparation comme médicament particulièrement destiné à cette condition et, à l'encontre d'autres préparations couramment employées, ne provoquant pas de toxicomanie. »

Ainsi, il est probable que si l'homme était heureux dans sa peau il ne fuirait pas dans le rêve éveillé de l'alcool ou de la drogue: et s'il n'est pas heureux dans sa peau, n'est-ce pas la société qui en est responsable? Est-ce que le plus grand nombre, celui des non-drogués, possède un droit autre que celui du plus fort, de juger les drogués, seulement parce que non conformes, c'est-à-dire parce que peut-être plus conscients de la misère de leur déterminisme? Il n'y a pas seulement que la misère matérielle qui est attristante. Celle-là peut avoir encore une certaine noblesse. Elle n'est pas suffisante à ramener l'homme au niveau de la bête. Par contre, la misère de l'esprit, celle qui fait de l'admirable cerveau humain une boîte à réflexes et à jugements de valeur, un organe sans usage, un instrument d'anthropoïde, cette misère-là est dramatique. C'est la misère du sectaire et du nanti, du bon citoyen et bien souvent de l'honnête homme. Peut-on en vouloir à certains de refuser cette misère-là, de chercher ailleurs un monde plus coloré? De ne pas être attirés par les maisons de la culture, la télévision, le PMU, le jeu de lotos, la pêche à la ligne, les voyantes extralucides, le cinéma, la foire du Trône ou le cirque Pinder, toutes soupapes officielles à la tristesse de l'existence urbaine? Cette société qui juge ne pourrait-

[1] C'est un chimiste suisse, Hofman, qui en 1943 découvrit l'action psychotrope de la L.S.D. (N.d.A.)

elle commencer par se juger? La toxicomanie comme l'alcoolisme ne disparaissent point par la prohibition, mais en aidant l'homme à sortir de la misère matérielle et psychique, en le libérant de ses chaînes idéologiques et en donnant à chaque individu le moyen de participer à la construction du monde de demain, et cela non pas suivant un plan préétabli, un formulaire, un mode d'emploi, mais en le conviant à faire fonctionner dès à présent son imagination créatrice. Les drogués ne sont ni à plaindre, ni à blâmer, ni à enfermer, ni à désintoxiquer. Ils sont simplement à convertir. A convertir à la notion que l'existence peut avoir une finalité autre que celle de faire un bourgeois ou un travailleur à la chaîne. A convertir, cela veut dire au minimum à conditionner différemment en transformant le milieu qui les suscite, ou mieux encore cela veut dire que l'on a découvert puis rendus conscients pour tous les mécanismes qui font sécréter leurs drogués aux peuples misérables du Mexique comme aux sociétés d'opulence de l'Occident chrétien. Ainsi, il est probable que l'on n'est pas plus libre d'être ou de ne pas être drogué, qu'on est libre de contracter ou non la diphtérie. La différence essentielle est que l'on n'a pas demandé uniquement à la police d'assurer la prophylaxie des maladies contagieuses. Est-ce simplement parce que l'Etat n'a pas encore eu l'idée de prendre le monopole de la drogue, comme il a pris celui du tabac?

Il m'a été également reproché de ne rien construire, de ne rien proposer. Je pense qu'entre le maintien des structures acquises plus ou moins réformées, la proposition d'une démocratie avancée et la révolution, un suffisamment grand nombre de propositions sont faites. Sont-elles plus constructives? Je n'ai quant à moi, au cours de ces réflexions, pas cherché à proposer un « programme » mais à démonter, à préciser les mécanismes inhérents à l'état de choses existant.

Tout se passe comme si l'on pensait, par la construction d'une piste de vitesse, pouvoir obtenir qu'une deux-chevaux atteigne le 200 à l'heure! Or, si un bolide de formule 1 a besoin d'une piste, d'un environnement transformé, pour réaliser sa vitesse de pointe qu'il ne peut atteindre sur un chemin vicinal, il est nécessaire de réaliser d'abord une transformation assez profonde de la deux-chevaux, même placée sur un circuit de vitesse, pour atteindre les mêmes performances. C'est seulement ce que j'ai voulu dire.

Depuis que l'homme est homme, semble-t-il, il y a eu des révolutions. Ce ne sont pas elles qui ont eu le plus d'influence sur l'évolution humaine. Marx a organisé théoriquement un environnement préparé en dehors de lui par la révolution industrielle de la fin du XIXe siècle. La révolution bourgeoise de 1789 a été préparée depuis la Renaissance par l'importance croissante du commerce et de la bourgeoisie, par les encyclopédistes, par l'efficacité décroissante du système féodal. On nous répète, et semble-t-il avec quelque raison, que nous sommes à l'aube d'une ère nouvelle, celle d'une civilisation scientifique. Qu'est-ce à dire? Cela signifie que pour diriger son comportement l'humanité aura de moins en moins à faire appel à son affectivité réactionnelle. Un fait scientifique solidement établi s'utilise, il ne se discute pas. Quelle que soit la forme socio-économique envisagée, la science demeure internationale. Les mêmes lois sont utilisées à Pékin, à Moscou ou à

Washington, pour réaliser une bombe atomique; les mêmes lois sont valables pour les Américains et les Russes pour lancer un satellite. Qui ne voit que le jour où la sociologie, le comportement individuel et social seront fondés sur une biologie scientifiquement établie; biologie elle-même en train, en s'appuyant sur les sciences physiques, de devenir une science, ce qu'elle n'était pas encore il y a cinquante ans à peine, ce jour-là l'Internationale scientifique s'établira d'elle-même sans discussion. Mon programme, je serais tenté de dire qu'il consiste à étudier précisément la façon de transformer une deux-chevaux en un engin de 3000 ml de cylindrée. En effet, la cybernétique, nous l'avons dit, nous apprend que le milieu transforme l'homme et que l'homme transforme le milieu. Mais depuis des centaines de milliers d'années, *la structure biologique de l'homme est restée à peu près la même. Ce qui a changé, c'est ce que sa mémoire est maintenant capable d'engrammer. Ce qui a changé, ce sont donc les éléments que son Imagination a à sa disposition et peut aujourd'hui manipuler. Mais les facteurs qui dirigent cette manipulation, nous commençons à peine à les entrevoir, à les isoler, à les comprendre, ce qui est nécessaire pour les diriger.* Il y a trente ans, la neuro-physiologie était à l'état fœtal. On ne savait pratiquement rien du fonctionnement d'un cerveau humain. Des millions de chercheurs ont, depuis, commencé à éclairer ce labyrinthe et déjà tentent de le situer dans un comportement individuel, puis social. Les recherches concernant la biologie du cerveau des espèces inférieures débouche maintenant sur les comportements des sociétés animales. La toxicité d'un agent pharmacologique est complètement différente suivant qu'il est injecté à un animal isolé ou à un animal en groupe et suivant l'importance du groupe. La reproduction des souris varie suivant la densité de la population où elles se trouvent, diminuant avec le nombre. On a pu montrer que ces faits étaient en rapport avec une activité accrue de certaines aires cérébrales, activité qui est elle-même fonction de la libération de certaines substances chimiques provoquées par les contacts « inter-souris ». Quelques microgrammes de substances biologiques sécrétées par certains types de neurones, ou certaines glandes endocrines, dont l'activité varie avec les rapports sociaux, avec, on peut le penser, les rapports de production, sont capables de transformer profondément le comportement humain. Ces quelques exemples montrent que le milieu agit bien sur l'être vivant, mais pas comme on avait pu le croire jusqu'ici. Des êtres aussi simples que les amibes, êtres unicellulaires, nous montrent déjà le déterminisme primitif des comportements puisque, dans certaines espèces dites « sociales », les individus se réunissent en groupes quand le milieu s'appauvrit en nourriture. L'espèce d'organisme qui se constitue alors donne naissance à une tige creuse, au sommet de laquelle un grand nombre d'individus sporulés sont réunis sous une forme globulaire; celle-ci peut-être déplacée dans l'atmosphère et trouve ainsi un meilleur terrain pour que chaque individu, à nouveau dissocié de l'ensemble, puisse continuer à vivre. Or, ce phénomène est lié à la libération, pour ces amibes, d'une substance, l'adenylate cyclique, qui règle l'attraction des individus entre eux, substance que l'on retrouve dans toute la lignée animale, jusqu'à nous y compris. C'est un intermédiaire chimique que nous connaissons bien dans l'utilisation du glycogène par la cellule. De nombreuses sécrétions endocrines chez les animaux supérieurs agissent par son intermédiaire. Ce rappel montre que rien n'est isolé dans la nature et que la biologie naissante doit inéluctablement nous conduire à une science véritable de nos comportements. Ces comportements, dès maintenant, quelques microgrammes de substances chimiques absorbées, existant déjà dans l'organisme, ou inventées récemment par l'homme, sont capables de les transformer profondément. Ainsi, l'homme est déjà capable d'agir sur le rendement de la deux-chevaux. Même si la solution pharmacologique ne triomphe pas, ce qui est peut-être après tout souhaitable, le seul fait de connaître scientifiquement les mécanismes de ces comportements, mécanismes qui s'étagent de la molécule au métabolisme, à la cellule, aux organes, aux systèmes, aux individus et aux sociétés, le seul fait de les connaître, de les avoir mis à jour, d'avoir affirmé indiscutablement leur existence fera que l'homme et les sociétés ne pourront plus être les mêmes. L'enseignement et les enseignants seront forcés d'en tenir compte et de diffuser leur connaissance. Une société qui voudrait les ignorer sera rapidement distancée par celle qui s'appuiera sur eux pour progresser. Les mythes ont parfois besoin de la coercition pour s'imposer et se répandre. Les vérités scientifiques s'imposent d'elles-mêmes. Elles le feront d'autant plus vite et simplement qu'un nombre toujours plus important d'hommes est déjà et sera de plus en plus capable de les intégrer. *Tout acquis non scientifique, idéologique en particulier, est soumis à l'idéologie de la classe dominante. Aussi longtemps que sociologie, économie et politique ne seront pas des sciences exactes, il est certain que seront exclusivement enseignées les notions, les hypothèses et les interprétations favorables à l'idéologie dominante, ici ou là.* Le jour où elles auront définitivement acquis leur statut scientifique, nulle idéologie ne pourra plus s'infiltrer en elles, nulle interprétation tendancieuse des faits ne sera plus possible. Tout groupe humain qui voudra ignorer leurs lois ira à sa perte. Les enseignants ne pourront faire autrement que de les enseigner. L'exemple de l'idéologie se pliant aux lois scientifiques nous a encore été fourni récemment par l'obligation où se sont trouvés, malgré leur répugnance, les biologistes marxistes d'admettre la génétique moderne et la cybernétique. C'est cela, à notre avis, la révolution scientifique annoncée. Elle fera suite à la révolution industrielle qui s'est construite, en dépit des idéologies contradictoires, au-dessus des frontières. Mais alors que celle-ci n'a trouvé que des interprètes du dehors, des anatomistes pour la disséquer et la décrire, du fait de l'ignorance où l'on était encore du déterminisme biologique de l'homme, la révolution scientifique, essentiellement biologique, disséquera l'interprète lui-même, elle prendra en charge l'observateur comme les faits observés, l'acteur et la scène, l'homme et l'environnement.

***

De nombreux groupes de recherche s'intéressent actuellement à la question du vieillissement. Sujet passionnant car le vieillissement constitue souvent l'antichambre de la mort. Là encore, ce n'est que par la connaissance de ses mécanismes que nous pouvons espérer nous en libérer.

Mais s'il est certes intéressant de rechercher les causes du vieillissement de l'individu, il faut aussi penser que cet individu appartient à une espèce qui est elle-même l'aboutissant d'une très longue lignée évolutive. Nous avons répété fréquemment au cours de ces pages que ce qui la caractérisait essentiellement, cette espèce, c'était le fait de posséder dans son cortex des zones associatives particulièrement développées, sur le fonctionnement desquelles repose l'imagination créatrice.

Or, il apparaît en définitive que très peu d'hommes aujourd'hui, après des milliers d'années d'évolution humaine, sont capables d'utiliser ces zones corticales privilégiées. Ainsi, peut-on dire qu'ils vieillissent avant même d'être nés à leur humanité. En d'autres termes, ne sont-ils pas encore au stade évolutif non de leurs grands-parents, non de leurs ancêtres, mais à celui des ancêtres de leur race elle-même? Ne sont-ce pas là de vrais vieillards? Que sert alors de prolonger l'existence, non de morts en sursis, mais de représentants d'une race préhumaine qui n'en finit pas de s'éteindre? Quelques réserves ne seraient-elles pas suffisantes à en conserver l'échantillonnage?

Le vieillissement est un sujet qui moi-même me passionne. Mais le sujet d'étude qui devrait avoir la priorité des priorités, n'est-ce pas celui de la naissance de l'homme à son humanité? Quelqu'un a dit déjà, il y a environ deux mille ans, que nous ne pouvions y parvenir si nous n'étions pas comme des enfants. Des enfants... c'est-à-dire cette page vierge sur laquelle ne sont point encore inscrits à l'encre indélébile les graffiti exprimant l'ensemble des préjugés sociaux et des lieux communs d'une époque.

TABLE DES MATIÈRES

Achevé d'imprimer le 6 Janvier 1978
sur les presses de Danel-S.C.I.A.
La Chapelle d'Armentières

N° d'édition 350, 1er trimestre 1970
Dépôt légal n° 10656, 1er trimestre 1978
Imprimé en France